NICHOLAS SPARKS

COME LA PRIMA VOLTA

Sperling ✿ Paperback

Traduzione di Alessandra Petrelli
The Wedding
Copyright © 2003 by Nicholas Sparks
© 2004 Edizioni Frassinelli
© 2006 Sperling & Kupfer Editori
I edizione Sperling Paperback maggio 2006

ISBN 978-88-6061-549-7
86-I-11

III EDIZIONE

A Cathy,
che ha fatto di me l'uomo più felice della Terra
accettando di diventare mia moglie.

Ringraziamenti

Dire grazie è sempre bello,
e a me piace molto farlo,
non sono un poeta, è cosa sicura,
perciò scusatemi quando rima è oscura.

Per primi ringrazio i miei figli, è vero,
li amo tutti di amore sincero.
Miles, Ryan, Landon, Lexie e Savannah
sono tremendi, ma dolci come panna.

Theresa per me è un aiuto costante
così come Jamie un sostegno importante.
E spero davvero che anche in futuro
potrò andare ancora con loro sicuro.

A Denise, che al cinema le mie storie ha portato,
e a Richard e Howie, che hanno negoziato;
un grazie anche a Scotty, che ha curato i contratti
son tutti amici miei, di nome e nei fatti.

A Larry, gran capo e squisita persona,
e a Maureen, dell'efficienza l'icona.
A Emi, Jennifer ed Edna. veri professionisti,
e nel vender libri autentici alchimisti.

Tanti altri ci sono, un esercito addirittura,
che fan della mia vita una splendida avventura.
A tutti quanti va il mio grazie di cuore,
con voi l'esistenza è un dono d'amore.

Prologo

$\mathcal{P}$uò un uomo cambiare veramente? Oppure il carattere e le abitudini creano limiti invalicabili nelle nostre esistenze?

È una notte di ottobre del 2003, e mi pongo questi interrogativi mentre osservo una falena svolazzare impazzita intorno alla luce della terrazza. Sono solo. Mia moglie Jane dorme di sopra e non si è mossa quando mi sono alzato dal letto. È tardi, mezzanotte è passata da tempo e nell'aria c'è una nota frizzante che preannuncia l'inverno. La vestaglia di cotone pesante che ho indossato non basta a ripararmi dal freddo, e quando mi accorgo che mi tremano le mani mi affretto ad affondarle nelle tasche.

Sopra di me le stelle sono come granelli d'argento sparsi su un fondale color carbone. Distinguo Orione e le Pleiadi, l'Orsa Maggiore e quella Minore, e rifletto che dovrei essere ispirato dalla consapevolezza che non sto semplicemente contemplando gli astri, ma anche il passato. Le costellazioni brillano

1

di una luce emessa milioni di anni fa e io aspetto che si accenda qualcosa anche dentro di me, le parole che un poeta potrebbe usare per illuminare i misteri della vita. Invece non accade nulla.

Non mi sorprende. Non sono mai stato un gran sentimentale, come potrebbe confermarvi anche mia moglie. Non mi commuovo davanti a film o commedie, non sono mai stato un sognatore e se mai ho aspirato a diventare esperto in qualcosa, è stato nelle regole stabilite dall'ufficio delle imposte e nelle norme codificate dalla legge. Per anni e anni ho lavorato come avvocato patrimoniale, sempre a contatto con clienti che si preparavano a disporre della loro successione, e alcuni potrebbero sostenere che questo ha inaridito la mia esistenza. Ma anche se così fosse, che cosa potrei farci? Non cerco giustificazioni per me stesso, né l'ho mai fatto, e quando avrete letto la mia storia sino in fondo mi auguro che guarderete con più benevolenza a questo aspetto del mio carattere.

Vi prego di non fraintendermi. Non sarò un sentimentale, ma non sono neppure del tutto privo di emozioni, anzi, in certi momenti avverto un senso di intenso stupore. In genere sono i fenomeni più semplici e naturali a risultarmi stranamente commoventi: le sequoie giganti della Sierra Nevada, per esempio, o le onde dell'oceano che si infrangono contro la scogliera di Cape Hatteras. La settimana scorsa mi è venuto un groppo in gola alla vista di un ragazzino che stringeva la mano del padre mentre camminavano insieme sul marciapiede. E c'è dell'altro: posso perdere la cognizione del tempo osservando le nubi che si inseguono mutando continuamente forma e, quando odo il rombo del tuono, mi avvicino sempre alla finestra in attesa di scorgere il lampo. Nell'attimo in cui la saetta di luce squarcia il cielo, poi, mi sento riempire di struggimento, anche se non saprei dirvi con esattezza per che cosa provi tanta nostalgia.

Mi chiamo Wilson Lewis, e questa è la storia di una festa di nozze. È anche la storia del mio matrimonio, ma nonostante i trent'anni che Jane e io abbiamo trascorso insieme, presumo che dovrei cominciare con l'ammettere che altri ne sanno molto più di me riguardo all'essere sposati. Insomma, non vi consiglio proprio di chiedermi istruzioni in materia. Nel corso della mia vita coniugale sono stato egoista, testardo, anche stupido, e mi rattrista doverlo ammettere con me stesso. Eppure, guardandomi indietro, credo che la cosa migliore che ho fatto sia stata amare mia moglie per tutto questo tempo. Magari a qualcuno potrà sembrare poco interessante o scontato, ma vi informo lo stesso che c'è stato un momento in cui ero convinto che lei non ricambiasse più il mio sentimento.

Come tutti i lunghi matrimoni, anche il nostro ha avuto i suoi alti e bassi, naturalmente. In questi anni mia moglie e io abbiamo affrontato la morte dei miei genitori e di sua madre, nonché la malattia di suo padre. Abbiamo cambiato casa quattro volte e, nonostante i miei successi professionali, abbiamo dovuto fare molti sacrifici per consolidare la nostra posizione economica. Abbiamo tre figli, e sebbene nessuno dei due rinuncerebbe all'esperienza di essere genitori neanche per tutto l'oro del mondo, le notti insonni e le frequenti corse all'ospedale quando erano piccoli ci hanno lasciato esausti e a volte sopraffatti. Va da sé che quello della loro adolescenza, poi, è stato un periodo che non vorrei assolutamente rivivere.

Tante vicissitudini causano stress e, quando due persone vivono insieme, è inevitabile che la tensione passi dall'uno all'altra. Ormai sono convinto che questa sia la benedizione e insieme la maledizione del matrimonio. Una benedizione in quanto offre una valvola di sfogo alle frustrazioni quotidiane; una maledizione per il fatto che lo sfogo ricade su chi amiamo di più.

Perché vi sto dicendo questo? Perché voglio di nuovo sottolineare che, nonostante tutte le difficoltà, non ho mai dubitato dei miei sentimenti verso mia moglie. C'erano giorni in cui evitavamo di guardarci negli occhi la mattina a colazione, è vero, ma non ho mai smesso di credere in noi. Certo, mentirei affermando di non essermi mai chiesto che cosa sarebbe successo se avessi sposato un'altra, ma in tutti gli anni trascorsi insieme non ho rimpianto di aver scelto lei, né che lei abbia voluto proprio me. Pensavo quindi che il nostro rapporto fosse scontato per entrambi, ma alla fine ho capito che mi sbagliavo. Me ne sono reso conto poco più di un anno fa – quattordici mesi, per la precisione – ed è stata proprio quella consapevolezza a mettere in moto la catena degli eventi successivi.

Vi starete chiedendo che cosa accadde, immagino.

Forse vi siete fatti un'idea di quanti anni io possa avere e quindi pensate a qualcosa legato alla crisi di mezza età. Il repentino desiderio di cambiare vita, magari, oppure un tradimento. Niente di tutto ciò. No, il mio fu un piccolo peccato nel grande schema del destino, un incidente che in altre circostanze si sarebbe trasformato in un aneddoto divertente. Invece ferì lei, ferì noi, ed è per questo che devo partire proprio da lì.

Era il 23 agosto 2002 e, come tutti i giorni, mi alzai, feci colazione e andai in ufficio. Di quella giornata lavorativa non ricordo nulla di preciso, se non che fu una come tante altre. Tornai a casa alla solita ora e rimasi piacevolmente sorpreso di trovare Jane in cucina, intenta a preparare il mio piatto preferito. Quando si voltò per salutarmi, mi parve che lanciasse un'occhiata verso il basso, come per vedere se tenessi in mano qualcos'altro oltre alla ventiquattrore, ma non fece commenti. Cenammo e poi, mentre lei iniziava a sparecchiare, io tirai fuori dalla borsa alcuni documenti che avevo intenzione di rileggere. Seduto nello studio, stavo esaminando la prima pagina di un fascicolo quando la scorsi in piedi sulla soglia.

Si stava asciugando le mani con un canovaccio e sul suo viso c'era un'espressione delusa che negli an ni avevo imparato a riconoscere, se non proprio a interpretare.

«Non hai niente da dirmi?» mi chiese.

Esitai, interrogandomi sulle implicazioni di quella domanda apparentemente innocente. Prima pensai che si riferisse a una nuova pettinatura o qualcosa del genere, ma a un'attenta osservazione il suo aspetto non rivelava nulla di inconsueto. Negli anni mi ero sforzato di notare quei piccoli cambiamenti. Stavolta, però, vagavo nel vuoto.

«Com'è andata la tua giornata?» le chiesi infine.

Lei non rispose; mi rivolse un enigmatico sorrisetto e tornò in cucina.

Ora so che cosa si aspettava, naturalmente, ma in quel momento non vi badai più di tanto e mi rimisi al lavoro, archiviando l'episodio come l'ennesimo esempio del misterioso comportamento femminile.

Più tardi, quella stessa sera, infilandomi a letto udii Jane fare un breve sospiro. Era distesa sul fianco, con la schiena rivolta verso di me, ma quando vidi le sue spalle tremare mi resi conto di colpo che stava piangendo. Perplesso, aspettai che mi rivelasse il motivo delle sue preoccupazioni, invece lei continuò a respirare faticosamente, come se cercasse di fermare le lacrime. Mi venne un groppo in gola e fui assalito dalla paura. Mi sforzai di non abbandonarmi al terrore che fosse successo qualcosa a suo padre o ai ragazzi, o che il medico le avesse dato qualche brutta notizia. Scacciando l'idea che potesse esserci un problema insuperabile, l'accarezzai nel tentativo di consolarla.

«Che cosa c'è che non va?» domandai.

Non mi rispose subito. La sentii sospirare di nuovo mentre si tirava la coperta sulle spalle.

«Buon anniversario», mormorò poi.

Ventinove anni, ricordai troppo tardi, e in un angolo della camera scorsi i regali che mi aveva comperato, incartati per bene e posati sopra il cassettone.

In poche parole, me ne ero dimenticato.

Non cercai giustificazioni, né avrei potuto trovarne. A che sarebbe servito? Mi scusai, è ovvio, e lo feci di nuovo il mattino successivo. La sera, dopo aver scartato il profumo che avevo scelto con cura (e con l'aiuto di una commessa), Jane mi sorrise e mi ringraziò.

Seduto sul divano accanto a lei, mi resi conto all'improvviso di amarla come il giorno in cui ci eravamo sposati. Ma mentre la osservavo, notando forse per la prima volta l'aria distratta con cui guardava altrove e l'inclinazione innegabilmente triste della sua testa, realizzai anche di non essere affatto sicuro che mia moglie mi amasse ancora.

Uno

È straziante pensare che tua moglie non ti ami più e quella sera, dopo che Jane era salita in camera con la sua bottiglietta di profumo, rimasi seduto per ore sul divano a chiedermi come fossimo arrivati a quel punto. Dapprincipio tentai di convincermi che stavo dando più importanza del dovuto a una sciocchezza. Eppure, a mano a mano che ci riflettevo, mi risultava evidente non solo il suo dispiacere di fronte alla mia disattenzione, ma anche la traccia di una malinconia che aveva origini lontane, come se quella mia dimenticanza non fosse che l'ultima di una lunga, lunga serie.

Il matrimonio si era forse rivelato una delusione per Jane? mi domandai. Sebbene non volessi crederlo, la sua espressione sembrava indicarlo, e mi ritrovai a interrogarmi sul futuro. Lei stava già mettendo in dubbio la nostra convivenza? E, soprattutto, si era pentita di avermi sposato? Ammetto che ero piuttosto agitato, perché fino a quel momento avevo sempre creduto che mia moglie fosse soddisfatta di me come io lo ero di lei.

Che cosa ci aveva spinto a considerarci l'un l'altro in modo tanto differente?

A questo punto devo dire che, visto dall'esterno, il nostro modo di vivere sarebbe sembrato del tutto normale. Come la maggior parte degli uomini io avevo l'obbligo di mantenere economicamente la famiglia, e per questo la mia esistenza gravitava intorno alla carriera. Negli ultimi trent'anni ho lavorato per lo studio legale Ambry, Saxon e Tundle di New Bern, nel North Carolina, e le mie entrate – seppur non eccezionali – ci hanno permesso uno stile di vita da media borghesia. Durante il fine settimana mi piace giocare a golf e occuparmi di giardinaggio, amo ascoltare musica classica e leggo il giornale ogni mattina. Jane, invece, ha abbandonato il suo lavoro di maestra elementare per allevare i nostri tre figli. Ha organizzato la nostra vita domestica e quella sociale, e la proprietà di cui va più fiera è la serie di album fotografici amorevolmente riempiti negli anni con le testimonianze visive della storia famigliare. La nostra casa di mattoni ha tanto di staccionata e irrigatore automatico, abbiamo due automobili e siamo iscritti al Rotary Club. Nel corso del tempo lei e io abbiamo messo da parte i soldi per la pensione, abbiamo costruito un'altalena di legno in giardino che ora sta lì inutilizzata, abbiamo partecipato a decine di incontri genitori-insegnanti, votato regolarmente e frequentato la chiesa episcopale tutte le domeniche. Adesso io ho cinquantasei anni, e mia moglie cinquantatré.

Nonostante i miei sentimenti per Jane, a volte mi viene da pensare che siamo una coppia curiosamente assortita. Siamo diversi in tutto, ma è vero che gli opposti si attraggono, e inoltre lei è la persona che avrei sempre desiderato essere. Mentre io tendo allo stoicismo e alla logica, mia moglie è aperta e disponibile, con una naturale empatia che la rende simpatica a tutti. Ha un gran senso dell'umorismo e una vasta cerchia di amicizie. In effetti la maggior parte dei miei amici in realtà sono i mariti delle sue amiche, ma credo sia un fatto comune tra le coppie sposate della nostra età. Comunque, sono fortunato perché Jane sembra aver sempre scelto le sue amicizie pensando anche a me, e apprezzo il fatto di avere spesso qualcuno con cui conversare piacevolmente durante le cene in compagnia. Se non ci fosse stata lei, molto probabilmente sarei stato una specie di eremita.

E non finisce qui: mi ha sempre affascinato la spontaneità con cui Jane manifesta le proprie emozioni. Quando è triste piange, quando è allegra ride, e non c'è niente che le piaccia di più dell'essere sorpresa da un gesto inaspettato. In tali circostanze sembra una bambina entusiasta e conserva a lungo il ricordo dei momenti più felici. A volte, quando la vedo sognare a occhi aperti, le chiedo che cosa stia pensando e lei si mette a parlare con trasporto di episodi che io ho dimenticato da tempo. Devo dire

11

che questa sua caratteristica non ha mai cessato di meravigliarmi.

Nonostante la sua tenerezza di cuore, però, per molti versi Jane è più forte di me. I suoi valori e le sue convinzioni sono saldi e netti. Per lei le decisioni difficili si prendono d'istinto – e sono quasi sempre quelle giuste – mentre io, al contrario, mi dibatto tra mille alternative e spesso dubito di me stesso. Inoltre, contrariamente a me, mia moglie prova di rado imbarazzo. Quest'assenza di preoccupazione per l'opinione altrui è indice di una sicurezza che mi è sempre mancata e, soprattutto, che le invidio profondamente.

Suppongo che una parte delle nostre differenze derivi dal nostro diverso ambiente famigliare. Mentre Jane è cresciuta in una città di provincia con tre fratelli e dei genitori adoranti, io ho passato l'infanzia in un appartamento di Washington, figlio unico di una coppia di procuratori di Stato che raramente tornavano a casa prima delle sette di sera. Di conseguenza, trascorrevo la maggior parte del mio tempo da solo e ancora oggi il posto in cui mi trovo più a mio agio è il mio studio.

Come ho già detto, abbiamo tre figli e, nonostante io li ami moltissimo, devo ammettere che loro sono principalmente un prodotto di mia moglie. Li ha portati in grembo e li ha allevati, e quindi si sentono più legati a lei. A volte rimpiango di non aver trascorso con loro tutto il tempo che avrei dovuto, ma mi conforta la certezza che Jane ha compensato in pieno le mie assenze. I nostri figli, a quanto pare, sono venuti su bene, nonostante tutto. Ora sono adulti e indipendenti, e per fortuna solo uno di loro ha scelto di andare a vivere lontano. Le nostre due figlie vengono ancora a trovarci spesso e mia moglie si ricorda sempre di tenere in frigo i loro cibi preferiti nel caso abbiano fame, cosa che non capita quasi mai. In compenso, quando vengono da noi passano ore intere a chiacchierare con la madre.

La maggiore, Anna, ha ventisette anni. Ha i capelli neri e gli occhi scuri, un aspetto che riflette la sua personalità ombrosa fin da quand'era adolescente. Di carattere introverso, trascorreva le ore chiusa in camera sua ad ascoltare musica lugubre e a scrivere sul suo diario. Allora per me era una perfetta sconosciuta: potevano passare giorni interi prima che pronunciasse una sola parola in mia presenza e io non riuscivo a capire il perché di un tale atteggiamento. Tutto quello che dicevo suscitava in lei solo sospiri o scrollate di testa, e se le chiedevo che cosa la preoccupava mi fissava come se non riuscisse a capire la domanda. Apparentemente mia moglie non ci trovava nulla di strano e classificava quel comportamento in maniera sbrigativa come una tipica fase giovanile, ma del resto Anna con lei si confidava. A volte, passando davanti alla porta della camera da letto, le sentivo parlottare, ma se si accorgevano di me si zittivano all'istante. In seguito, quando le chiedevo di che avessero parlato, Jane scrollava le spalle e agita-

13

va la mano con fare misterioso, come se dovessi per forza essere tenuto all'oscuro.

Nonostante tutto, però, essendo la primogenita Anna è sempre stata la mia preferita. Non è una cosa che ammetto alla leggera, ma penso che lo sappia anche lei e ultimamente sono giunto alla conclusione che persino nei suoi anni più bui fosse attaccata a me più di quanto immaginassi. Ricordo ancora le volte in cui, mentre ero intento a lavorare nello studio, mia figlia entrava in silenzio e si metteva a camminare per la stanza esaminando i ripiani della libreria e tirando fuori vari volumi, ma se io le rivolgevo la parola, scivolava via silenziosa com'era arrivata. Con il tempo imparai a non dire niente, e allora lei si tratteneva anche per un'ora, osservandomi prendere appunti sui taccuini gialli. Se alzavo lo sguardo, mi sorrideva complice, divertita da quel nostro gioco. Non ne ho mai capito il significato, neppure adesso, ma è una delle immagini che si sono impresse più a fondo nella mia memoria.

Attualmente Anna lavora per il *Raleigh News and Observer*, ma credo che sogni di diventare una scrittrice. Si è diplomata in scrittura creativa e i racconti che scriveva a scuola erano oscuri come la sua personalità. Ricordo di averne letto uno in cui una ragazza diventava una prostituta per procurarsi i soldi necessari a curare il padre malato, che un tempo aveva abusato di lei. Quando giunsi alla fine, mi chiesi che cosa dovessi pensare di una storia del genere.

Ora Anna è pazzamente innamorata. Da sempre

cauta e razionale nelle sue scelte, si è mostrata molto selettiva anche in fatto di uomini, e per fortuna Keith pare davvero un bravo ragazzo. Vuole fare carriera come ortopedico e si comporta con la sicurezza tipica di chi nella vita ha subìto poche delusioni. Ho saputo da mia moglie che, per il loro primo appuntamento, ha portato Anna sulla spiaggia a far volare gli aquiloni. La settimana dopo si è presentato a casa nostra con un giubbotto sportivo, sbarbato, pettinato e con un leggero aroma di acqua di colonia. Quando ci siamo stretti la mano, lui mi ha guardato dritto negli occhi e ha detto: «È un piacere conoscerla, signor Lewis». Il che mi ha fatto un'ottima impressione.

Il nostro secondogenito, Joseph, ha un anno meno di Anna. Per qualche strano motivo mi ha sempre chiamato «pop», e anche con lui ho poco in comune. È più alto e più magro di me, indossa i jeans in ogni occasione e, quando viene a trovarci per il Giorno del Ringraziamento o per Natale, mangia soltanto verdura. Da ragazzino mi sembrava un tipo taciturno, ma come nel caso della sorella la sua reticenza pareva rivolta soprattutto a me. Gli altri spesso commentavano il suo senso dell'umorismo, però, sinceramente, io non ho avuto molte occasioni di notarlo. Tutte le volte che trascorrevamo del tempo insieme avevo l'impressione che cercasse di studiarmi.

Al pari di Jane, è sempre stato emotivo, fin da piccolo. Già all'età di cinque anni si mangiava le unghie fino ai polpastrelli quando era in ansia per qualcuno. Come si può facilmente immaginare, quando gli suggerii di studiare Economia lui non mi diede ascolto, optando invece per una laurea in Sociologia. Adesso è impiegato in un centro di accoglienza per donne maltrattate a New York, ma non ci racconta molto del suo lavoro. So che nutre qualche perplessità circa le scelte che ho compiuto nella mia vita, come d'altronde capita a me nei suoi confronti, ma nonostante le nostre differenze è proprio con lui che faccio quelle chiacchierate che avevo sempre sognato di scambiare con i miei figli quando erano piccoli. Ha un'intelligenza molto spiccata, a scuola ha sempre preso ottimi voti e i suoi interessi spaziano dalla storia del Medio Oriente alle applicazioni teoriche della geometria dei frattali. È anche molto sincero – a volte in maniera dolorosa – e va da sé che questi aspetti del suo carattere mi mettono in svantaggio quando si tratta di obiettare alle sue prese di posizione. Sebbene in queste occasioni tanta caparbietà mi dia sui nervi, sono proprio questi i momenti in cui sono più orgoglioso di chiamarlo «figlio mio».

Leslie, la piccolina della famiglia, sta studiando alla Wake Forest con l'intenzione di diventare veterinaria. Invece di tornare a casa d'estate, come fa la maggior parte degli altri studenti, frequenta corsi aggiuntivi per laurearsi prima e di pomeriggio lavora in un posto chiamato la Fattoria degli Animali. Dei nostri figli è la più socievole e la sua risata ricorda quella di Jane. Anche lei veniva a trovarmi nello studio, come Anna, ma il massimo della sua felicità era ottenere la mia attenzione incondizionata. Da bambina mi si sedeva sulle ginocchia e mi tirava le orecchie; quand'era ragazzina mi intratteneva raccontandomi aneddoti divertenti. I ripiani della libreria pullulano dei regalini che mi ha fatto nel corso degli anni: calchi in gesso della sua mano, disegni a matita, una collana di pasta. È stata la più facile da amare, la prima a presentarsi per ricevere coccole e baci dai nonni, e ha sempre avuto un debole per i film d'amore, da guardare in TV sdraiata sul divano.

È anche molto premurosa. Invitava sempre tutti i compagni di classe alle sue feste di compleanno per non offendere nessuno, e all'età di nove anni trascorse un intero pomeriggio a girovagare sulla spiaggia perché aveva trovato un orologio nella sabbia e voleva assolutamente restituirlo al proprietario. Dei miei figli è quella che mi ha sempre dato meno preoccupazioni e, se viene a trovarci, rinuncio a qualsiasi occupazione pur di stare con lei. È dotata di un'energia contagiosa e quando siamo insieme mi chiedo che cosa io abbia fatto per meritarmi tanta fortuna.

Ora che se ne sono andati tutti e tre, la casa è cambiata. Mentre prima rimbombava la musica a tutte le ore, adesso regna solo il silenzio, e sulla mensola della dispensa che ospitava otto tipi diversi di cereali ormai campeggia una sola marca, che vanta un alto contenuto di fibre. L'arredamento delle camere dei ragazzi è lo stesso, ma dato che sono stati tolti tutti i poster e le bacheche – oltre ad altri oggetti che rispecchiavano la loro personalità – ormai è difficile distinguerle l'una dall'altra. Quello che domina soprattutto è il vuoto; la nostra abitazione, perfetta per cinque persone, adesso mi sembra il fantasma di quello che era un tempo.

Ricordo di aver sperato che questo cambiamento avesse qualcosa a che fare con lo stato d'animo di Jane.

Al di là di ogni spiegazione razionale, comunque, non potevo negare che ci stessimo allontanando e più ci pensavo, più mi rendevo conto della distanza che si era creata tra noi. Avevamo cominciato come coppia ed eravamo diventati genitori – un fatto che avevo sempre ritenuto normale e inevitabile –, ma dopo ventinove anni era come se fossimo tornati a essere due estranei. Sembrava che ormai fosse soltanto l'abitudine a tenerci insieme. Le nostre vite avevano ben poco in comune, trascorrevamo le giornate in luoghi diversi e la sera ognuno seguiva le sue abitudini personali. Io sapevo ben poco delle sue attività quotidiane e del resto tenevo per me alcune delle mie. Non ricordavo l'ultima volta in cui noi due avevamo avuto una conversazione imprevista.

Un paio di settimane dopo l'anniversario dimenticato, tuttavia, capitò proprio quello.

«Wilson», esordì lei. «Dobbiamo parlare.»

La guardai. Eravamo seduti a tavola e avevamo quasi finito di cenare.

«Sì?»

«Stavo pensando di andare a New York», proseguì lei, «per passare un po' di tempo con Joseph.»

«Ma non verrà qui per le vacanze?»

«Mancano ancora due mesi. E dato che non è tornato a casa quest'estate, penso che sarebbe bello andare a trovarlo, tanto per cambiare.»

In effetti, avrebbe fatto bene a entrambi cambiare ambiente per due o tre giorni. Forse era proprio una vacanza a due che intendeva Jane, così sollevai il bicchiere e, con un ampio sorriso, dissi: «È un'ottima idea. Non siamo più stati a New York da quando ci siamo trasferiti qui».

Jane sorrise brevemente di rimando, poi abbassò lo sguardo sul piatto. «Veramente...»

«Sì?»

«Ecco, vedi, so quanto sei preso dal lavoro e come ti sia difficile trovare un momento libero.»

«Penso di riuscire a ritagliarmi qualche giorno di libertà», obiettai, sfogliando mentalmente la mia agenda. Sarebbe stata dura, ma potevo farcela. «Quando avresti intenzione di partire?»

«Ecco, è proprio questo il punto...» replicò lei.

«Quale punto?»

«Wilson, ti prego, lasciami finire.» Fece un profondo sospiro senza curarsi di nascondere la stanchezza nella sua voce. «Quello che stavo cercando di dirti è che vorrei andarci da sola.»

Per un attimo restai senza parole.

«Sei arrabbiato, vero?» chiese.

«No», mi affrettai a rispondere. «È nostro figlio,

perché dovrei essere arrabbiato?» Per sottolineare la mia serenità, presi il coltello e tagliai un boccone di carne. «Quando pensavi di partire?» domandai con noncuranza.

«La settimana prossima. Giovedì.»

«Giovedì?»

«Ho già fatto il biglietto.»

Sebbene non avesse ancora finito del tutto di mangiare, si alzò e si diresse verso la cucina. Dal modo in cui evitava di guardarmi mi venne il sospetto che avesse qualcos'altro da dirmi, ma che non sapesse come esprimerlo. Girandomi, scorsi il suo viso di profilo sopra il lavandino.

«Penso che ti divertirai», dissi rivolto verso di lei, con un tono che speravo suonasse disinvolto. «E anche Joseph ne sarà contento. Potreste andare a vedere qualche spettacolo insieme, mentre sarai lì.»

«Può darsi», mi rispose. «Dipenderà dai suoi impegni.»

Udendo lo scroscio del rubinetto, mi alzai a mia volta e portai i piatti verso il lavandino. Jane non disse nulla mentre mi avvicinavo.

«Sarà un bel fine settimana», aggiunsi.

Lei prese il mio piatto e cominciò a sciacquarlo.

«Ecco, a proposito di questo...» cominciò.

«Sì?»

«Stavo pensando di fermarmi a New York un po' più a lungo del fine settimana.»

Quelle parole mi provocarono uno spasmo allo

stomaco. «Quanto hai intenzione di rimanere?» le chiesi.

Lei mise da parte il piatto.

«Un paio di settimane», rispose.

Naturalmente non potevo biasimare Jane per la direzione che il nostro matrimonio sembrava aver preso. In fondo sapevo che la responsabilità maggiore era mia, anche se non avevo ancora messo in ordine tutti i pezzi del come e del perché. Tanto per cominciare, devo ammettere di non essermi mai comportato come lei avrebbe voluto, fin dai primi tempi. Per esempio, so che le sarebbe piaciuto più romanticismo da parte mia, come faceva suo padre. Era il genere di uomo che teneva per mano la moglie o che raccoglieva di sua iniziativa un mazzo di fiori di campo tornando dal lavoro. Fin da bambina, Jane era stata affascinata dall'intensa storia d'amore tra i suoi genitori. Nel corso degli anni l'ho sentita spesso chiedere, parlando al telefono con sua sorella Kate, come mai il romanticismo sembrasse essere un concetto tanto oscuro per me. In effetti, per quanto ci provi non possiedo affatto la capacità di capire che cosa occorra per far palpitare il cuore altrui. Nella mia famiglia non c'era l'abitudine di scambiarsi baci o abbracci, e le manifestazioni d'affetto di Jane spesso mi mettevano a disagio, soprattutto davanti ai figli. Una volta ne parlai con mio suocero e lui mi suggerì di scriverle una lettera. «Spiegale perché l'ami», mi disse, «e forniscile delle ragioni precise.» Da allora sono passati dodici anni. Intendiamoci, ho provato a seguire quel consiglio e mi sono messo davanti a un foglio bianco con la penna in mano, ma non sono riuscito a trovare le parole giuste da scrivere. Alla fine ho posato la penna. A differenza di mio suocero, non sono mai stato bravo a parlare di sentimenti. Sono una persona solida, certo. Affidabile, senza ombra di dubbio. Fedele, sicuramente. Ma il romanticismo, lo ammetto, mi è estraneo come potrebbe esserlo la maternità.

A volte mi chiedo quanti altri uomini come me ci siano al mondo.

Mentre Jane era a New York, telefonai a Joseph.

«Ciao, pop», esordì semplicemente.

«Ciao», dissi. «Come stai?»

«Bene.» Dopo una pausa che mi parve lunghissima, aggiunse: «E tu?»

Io mi dondolai da un piede all'altro. «È tutto molto tranquillo da queste parti, ma me la cavo.» Pausa. «Come va la visita di tua madre?»

«Bene. L'ho tenuta occupata.»

«Shopping e giri turistici?»

«Anche. Ma soprattutto abbiamo parlato molto. È stato interessante.»

Esitai. Mi chiedevo che cosa intendesse dire, ma Joseph non sembrava incline ad articolare meglio il suo pensiero. «Oh», feci, cercando di mantenere un tono il più possibile gioviale. «Adesso è lì?»

«No. È andata al supermercato. Tornerà tra pochi minuti, se vuoi richiamala.»

«No, non importa. Dille solo che ho chiamato. Se vuole telefonarmi, sarò in casa tutta la sera.»

«Lo farò», rispose lui. E poi, dopo un momento: «Ehi, pop, volevo chiederti una cosa.»

«Dimmi.»

«È vero che ti sei dimenticato del vostro anniversario?»

Feci un profondo respiro. «Sì, è vero», ammisi.

«E com'è successo?»

«Non so», esitai. «Sapevo che mancavano pochi giorni, ma quando è arrivata la data mi è sfuggito di mente. Non ho scusanti.»

«L'hai ferita», mi disse.

«Lo so.»

Dopo un momento di silenzio, Joseph parlò di nuovo. «Hai capito perché?» mi chiese infine.

Anche se non risposi direttamente alla domanda di mio figlio, fu come se l'avessi fatto.

Semplicemente, Jane non voleva che finissimo come le coppie di anziani che talvolta ci capitava di vedere uscendo a cena, e che hanno sempre suscitato in noi una grande compassione.

Certo, i membri di queste coppie in genere sono molto educati tra di loro. Il marito sposta la sedia oppure prende il cappotto alla moglie, lei gli suggerisce un piatto speciale. E all'arrivo del cameriere, ciascuno specifica l'ordinazione dell'altro con una precisione nata dagli anni trascorsi insieme: niente formaggio sulla pasta, per esempio.

Ma poi, una volta scelte le pietanze, tra i due cala il silenzio e li vedi sorseggiare il vino guardando fuori dalla finestra, in attesa delle portate. Quando poi queste arrivano, a volte i due si rivolgono brevemente al cameriere, ma tornano subito a rifugiarsi nei loro mondi. E per tutta la cena restano lì come un paio di perfetti sconosciuti ai quali è capitato di sedersi allo stesso tavolo, quasi che il godimento della reciproca compagnia non valesse lo sforzo di parlare.

Forse esagero nell'immaginarmi così la loro vita, ma mi sono chiesto spesso che cosa abbia portato certe coppie fino a quel punto.

Mentre Jane era a New York, tuttavia, venni colpito all'improvviso dal dubbio che anche noi stessimo avviandoci in quella direzione.

Ricordo che, mentre andavo a prendere Jane all'aeroporto, ero stranamente nervoso. Era una sensazione insolita e fui sollevato nel vederla aprirsi in un sorriso mentre si avvicinava a me. Quando mi raggiunse, le presi di mano la borsa da viaggio.

«Com'è andata?» le chiesi.

«Bene», mi rispose, «ma non riesco a capire perché a Joseph piaccia tanto vivere là. C'è sempre una gran confusione. Io non ci resisterei.»

«Sei contenta di essere tornata a casa, allora?»

«Sì», rispose. «Però sono un po' stanca.»

«Ci credo. Viaggiare è faticoso.»

Per un attimo restammo entrambi in silenzio. Passai la sua borsa nell'altra mano. «E Joseph come sta?»

«Bene. Credo che abbia messo su qualche chilo dall'ultima volta che è stato qui.»

«C'è qualche novità su di lui che non mi hai detto per telefono?»

«Non mi pare. Lavora troppo, ma questo già lo sapevi.»

Colsi una nota di tristezza nella sua voce, ma non riuscii a spiegarmene il motivo. Mentre riflettevo, scorsi una giovane coppia abbracciata: i due si tenevano stretti stretti, come se non si vedessero da anni.

«Sono contento che tu sia tornata», dissi allora.

Lei mi guardò a lungo negli occhi, poi girò la testa verso il nastro della consegna bagagli. «Lo so.»

Questa era la situazione tra di noi un anno fa.

Vorrei potervi dire che le cose migliorarono nelle settimane immediatamente successive, ma non fu così. La nostra vita proseguì invece tale e quale a prima, su binari separati, e i giorni passavano inesorabili e immemorabili. Lei non era più arrabbiata con me, ma non sembrava nemmeno felice. Era come se tra di noi ci fosse un muro di indifferenza. Verso la fine dell'autunno, tre mesi dopo l'anniversario dimenticato, ero così in ansia per il nostro rapporto che capii di doverne parlare con mio suocero.

Si chiama Noah Calhoun e, se lo conosceste, capireste perché mi rivolsi a lui. Una decina di anni prima si era trasferito con la moglie Allie nella casa di riposo di Creekside; ora era rimasto vedovo e in genere, quando andavo a fargli visita, lo trovavo seduto su una panchina in riva al laghetto. Ricordo che anche quel giorno mi affacciai alla finestra della sua camera per vedere se era lì.

Lo riconobbi facilmente, anche da lontano: i ciuffi di capelli bianchi mossi dal vento, la schiena curva, il cardigan azzurro che gli aveva regalato la figlia Kate. A ottantasette anni era un vecchio con le mani tormentate dall'artrite e la salute precaria. Teneva in tasca una boccetta di pillole di nitroglicerina e aveva un tumore alla prostata, ma i dottori erano più preoccupati per il suo stato mentale. Qualche anno prima avevano convocato me e Jane per informarci che soffriva di allucinazioni e che le sue condizioni si erano aggravate. Da parte mia, non ne ero troppo convinto. Pensavo di conoscerlo bene, sicuramente meglio dei dottori. Era il mio più caro amico e ogni volta, alla vista della sua figura solitaria, non potevo fare a meno di provare pena per tutto ciò che aveva perso.

Sua moglie, che ormai era morta da cinque anni, negli ultimi tempi era stata colpita dal morbo di

Alzheimer, una malattia che sono arrivato a conside rare profondamente malvagia. Si tratta di una lenta e inesorabile cancellazione di tutto ciò che una persona è. In fondo, che cosa siamo senza i nostri ricordi, senza i nostri sogni? Osservare il lento progredire dei sintomi in quella donna era stato come vedere svolgersi al rallentatore una tragedia ineluttabile. Per me e per Jane era molto difficile far visita ad Allie; mia moglie voleva ricordare la madre com'era stata un tempo e io non la spingevo mai ad andare a trovarla perché era doloroso anche per me. Per Noah, naturalmente, era ancora più dura.

Ma questa è un'altra storia.

Uscito dalla camera, mi avviai verso il giardino. Era una mattinata fredda per essere autunno. Le foglie brillavano sgargianti ai raggi obliqui del sole e l'aria portava un vago sentore di legna bruciata. Mi tornò in mente che quella era la stagione preferita di Allie e, avvicinandomi a Noah, sentii su di me la sua solitudine. Come sempre stava dando da mangiare a un cigno e, quando lo raggiunsi, posai in terra la confezione di pancarré. Mi chiedeva sempre di portargliene una

«Ciao, Noah», dissi. Sapevo che avrei potuto chiamarlo «papà», come aveva fatto Jane con mio padre, ma non mi ci ero mai abituato e lui non sembrava tenerci più di tanto.

Al suono della mia voce, girò la testa.

«Ciao, Wilson», mi disse. «Grazie di essere venuto.»
Gli posai una mano sulla spalla. «Come va?»

«Potrebbe andare meglio», rispose. E poi, con un sorriso malizioso: «Ma anche peggio».

Erano le parole che ci scambiavamo sempre come saluto. Indicò la panchina e mi sedetti accanto a lui. Guardai il laghetto. Le foglie cadute formavano una specie di caleidoscopio sull'acqua immobile che rifletteva il cielo senza nuvole.

«Sono qui per chiederti un consiglio.»

«Sì?» Noah staccò un pezzo di pancarré e lo gettò nell'acqua. Il cigno lo beccò agile poi raddrizzò il lungo collo per deglutirlo.

«Riguarda Jane», aggiunsi.

«Jane», mormorò lui. «Come sta?»

«Bene», risposi muovendomi nervoso. «Immagino che passerà da te più tardi.» Era la verità. Negli ultimi anni andavamo a trovarlo spesso, a volte insieme, altre singolarmente. Chissà se parlavano di me in mia assenza.

«E i ragazzi?»

«Stanno bene pure loro. Anna ora scrive per un giornale e Joseph ha finalmente trovato un nuovo appartamento. Credo che sia nel Queens, ma vicino alla metropolitana. Leslie andrà in campeggio con degli amici questo fine settimana. Ci ha detto di aver superato gli esami di metà anno con il massimo dei voti.»

Lui annuì senza mai distogliere lo sguardo dal cigno. «Sei un uomo molto fortunato, Wilson», commentò. «Spero ti renda conto della fortuna che hai avuto con tre figli così.»

28

«Lo so.»

Restammo in silenzio. Viste da vicino le rughe sul suo viso formavano solchi profondi e le vene gli pulsavano sotto la pelle sottile delle mani. Alle nostre spalle, il giardino era deserto; l'aria frizzante teneva al chiuso gli altri ospiti.

«Mi sono dimenticato del nostro anniversario», dissi.

«Oh?»

«Ventinove anni», precisai.

«Mmmm.»

Dietro di noi, udii le foglie frusciare nel vento.

«Sono preoccupato per noi due», mi decisi ad ammettere.

Noah mi guardò. Dapprincipio pensai che volesse chiedermi perché ero preoccupato, ma lui si limitò a socchiudere gli occhi, scrutando il mio volto. Poi girò il capo e gettò un altro pezzo di pane al cigno. Quando parlò, la sua voce era bassa e morbida, una tonalità da baritono anziano.

«Ricordi quando Allie si ammalò? Quando leggevo per lei ad alta voce?»

«Sì», risposi, sentendomi inondare dai ricordi. Lui le leggeva le pagine di un diario che aveva scritto prima del loro trasferimento a Creekside. Conteneva la storia del loro amore e a volte, terminata la lettura, Allie riacquistava momentaneamente la lucidità, nonostante i danni provocati dall'Alzheimer. Quello stato di grazia non durava mai molto – e con l'avanzare della malattia scomparve del tutto – ma quando si presentava era un fenomeno tanto straordinario da richiamare specialisti desiderosi di indagarlo più a fondo. Di sicuro la lettura a volte funzionava, con Allie. In che modo, tuttavia, rimase sempre incomprensibile.

«Sai perché lo facevo?» mi chiese.

Intrecciai le mani in grembo. «Credo di sì», risposi. «Perché era d'aiuto ad Allie. E poi lei te lo aveva fatto promettere.»

«Sì, è vero», confermò Noah. Fece una pausa e udii il sibilo del suo respiro, come l'aria che passa attraverso un vecchio organetto. «Ma quella non era l'unica ragione. Lo facevo anche per me. Gli altri non lo capivano.»

Tacque di nuovo, ma io sapevo che non aveva finito e aspettai in silenzio. Il cigno, intanto, aveva smesso di nuotare in cerchio e si era avvicinato. A parte una macchia nera grande come una moneta sul petto, era color avorio. Rimase immobile sull'acqua quando Noah ricominciò a parlare.

«Sai che cosa ricordo di più dei giorni buoni?»

Capii che si riferiva a quelle rare giornate in cui Allie lo riconosceva e scrollai la testa.

«Che ci innamoravamo», mi spiegò. «Ecco che cosa ricordo. Nei giorni buoni era come se stessimo ricominciando tutto daccapo.» Sorrise. «È questo che intendo quando dico che lo facevo anche per me. Quando le leggevo quelle pagine era come se la corteggiassi, perché a volte, anche se molto raramente, lei si rinnamorava di me proprio com'era successo tanti anni prima. Ed è l'emozione più stupenda del mondo. A quante persone è mai stata data questa opportunità? Di avere qualcuno che ami che si innamori di te ripetutamente?»

Noah non sembrava aspettarsi una risposta, così tacqui.

Nell'ora successiva parlammo dei nipoti e della sua salute. Non accennammo più né a Jane, né ad Allie. Dopo essermene andato, tuttavia, ripensai alla nostra conversazione. Nonostante le preoccupazioni espresse dai medici, Noah sembrava acuto come sempre. Non solo sapeva che sarei andato a trovarlo, ma mi resi conto che aveva previsto il motivo della mia visita. E mi aveva offerto la soluzione al mio problema senza che avessi dovuto nemmeno porgli una domanda diretta.

Fu allora che capii che cosa fare.

Due

Dovevo corteggiare nuovamente mia moglie.

Sembra una cosa semplicissima, vero? Che c'è di più facile? Dopo tutto, una situazione come la nostra aveva i suoi vantaggi. Innanzitutto, Jane e io vivevamo nella stessa casa e, dopo tre decenni passati insieme, non era come dover cominciare daccapo. Potevamo risparmiarci le storie delle rispettive famiglie, gli aneddoti divertenti della nostra infanzia, le domande sulle nostre attuali occupazioni e le aspirazioni più o meno compatibili. Inoltre, le sorprese che gli individui tendono a tenere nascoste nei primi stadi di una relazione erano ormai saltate fuori. Mia moglie, tanto per dirne una, sapeva già che russo. Da parte mia, mi è indifferente l'aspetto dei suoi capelli quando si alza la mattina.

Partendo da questi presupposti, ritenevo che riconquistare l'amore di Jane sarebbe stato abbastanza facile. Avrei dovuto solo ricreare l'atmosfera dei nostri primi anni in comune. esattamente come aveva fatto Noah leggendo ad Allie le pagine della loro vita. Tuttavia, a una riflessione più accurata, mi resi conto di non aver mai capito sino in fondo che cosa lei avesse visto in me. Certo, mi considero un uomo responsabile, ma di sicuro non era questa la dote che le donne ritenevano attraente all'epoca in cui ci eravamo conosciuti. Eravamo figli del baby-boom, appartenevamo alla generazione più disinibita e individualista.

Vidi Jane per la prima volta nel 1971. Avevo ventiquattro anni e frequentavo il secondo anno della facoltà di Legge alla Duke University. Ero uno studente serio e coscienzioso, a giudizio di tutti. Non avevo mai avuto lo stesso compagno di stanza per più di un semestre perché mi capitava spesso di tenere la luce accesa di notte per studiare. La maggior parte dei miei compagni sembrava considerare il college una serie di week-end inframmezzati da noiose ore di lezione, mentre io lo vedevo come una preparazione per il futuro.

Sapevo di essere introverso, ma Jane fu la prima a definirmi timido. Ci incontrammo un sabato mattina in un caffè del centro. Era l'inizio di novembre e io ero molto impegnato nello studio. Temendo di restare indietro, avevo scelto quel locale nella speranza di potermi concentrare sui libri senza essere riconosciuto o interrotto.

Lei si avvicinò al mio tavolo per prendere l'ordinazione, e ancora oggi ricordo con grande chiarezza quel momento. Aveva i capelli castani raccolti in una coda e i suoi occhi scuri risaltavano sul viso dalla carnagione leggermente olivastra. Portava un grembiule blu sopra il vestito azzurro. Rimasi colpito dalla prontezza con cui mi sorrise, come se fosse felice che avessi scelto di sedermi a uno dei suoi tavoli.

Allora non sapevo ancora che cosa sarebbe successo, ma tornai in quel locale il giorno dopo e mi sedetti allo stesso tavolo. Al vedermi, lei mi sorrise e devo ammettere che mi fece piacere constatare che si ricordava di me. Quegli incontri del fine settimana proseguirono per circa un mese senza variazioni di rilievo, anche se ben presto mi resi conto che la mia mente cominciava a fantasticare tutte le volte che quella ragazza si avvicinava al tavolo per riempirmi la tazza. Il profumo della sua pelle odorava di cannella.

Se devo essere sincero, da giovane non mi sono mai sentito del tutto a mio agio con le donne. Alle superiori non ero né un atleta né un membro del consiglio studentesco. Siccome mi piaceva molto giocare a scacchi, fondai un club di appassionati, ma sfortunatamente tra di loro non c'era nemmeno una femmina. Nonostante la mia mancanza di esperienza, ero riuscito lo stesso a uscire con qualche ragazza durante gli anni di liceo, ma avendo preso la decisione di non impegnarmi sentimentalmente finché non fossi stato indipendente dal punto di vista economico, non approfondii mai la loro conoscenza e ben presto le dimenticai.

Ora però l'immagine della cameriera con la coda

di cavallo mi sorprendeva spesso, anche durante le ore di lezione. Mentre il professore parlava in piedi davanti alla lavagna, io fantasticavo di vederla entrare nell'aula con il suo grembiule blu e distribuire i menu agli studenti.

Non so come sarebbe andata a finire se non fosse stata lei a prendere l'iniziativa. Avevo trascorso la mattina a studiare in mezzo al fumo di sigaretta che impregnava tutto il locale, quando si mise a piovere a dirotto. Era una giornata grigia e fredda e la pioggia batteva contro i vetri delle finestre.

La ragazza si avvicinò al mio tavolo con il grembiule ripiegato sottobraccio. Si sfilò il nastro dai capelli, che le ricaddero sciolti sulle spalle. «Ti spiace accompagnarmi alla macchina?» mi chiese. «Ho visto che hai l'ombrello e non mi vorrei bagnare.»

Era impossibile rifiutare la sua richiesta, così raccolsi le mie cose, poi le aprii la porta e insieme ci incamminammo a fianco a fianco tra le pozzanghere. La sua spalla sfiorava la mia e, mentre attraversavamo la strada immersi nel rumore della pioggia, lei mi gridò il suo nome e spiegò che studiava al Meredith, un college femminile. Si sarebbe diplomata in inglese e poi voleva insegnare. Io non parlai molto, concentrato com'ero a tenerla riparata sotto l'ombrello. Quando raggiungemmo la sua macchina, mi aspettavo che salisse subito, invece si voltò a guardarmi in faccia.

«Sei piuttosto timido, vero?» mi disse.

Io non sapevo bene che cosa rispondere, e Jane scoppiò a ridere.

«Non importa, Wilson. Mi piacciono le persone timide.»

Il fatto che si fosse data la briga di scoprire il mio nome avrebbe dovuto colpirmi, ma non fu così. Invece, mentre era in piedi sotto la pioggia con il mascara che le rigava le guance, tutto quello a cui riuscii a pensare era che non avevo mai visto nessuno più bello di lei.

Mia moglie è ancora bella.

Ovviamente di una bellezza più morbida, resa più profonda dagli anni. La sua pelle è delicata e ha delle rughe intorno agli occhi. I fianchi le si sono riempiti, l'addome si è arrotondato, ma io continuo ad accendermi di desiderio tutte le volte che la vedo spogliarsi in camera da letto.

Negli ultimi anni avevamo fatto l'amore di rado, e senza la spontaneità e l'eccitazione di un tempo. Ma non erano i rapporti fisici che ora mi mancavano di più. Anelavo a rivedere quella luce nel suo sguardo, oppure a un gesto o una carezza che mi facessero capire che anche lei mi desiderava. Un segno indicatore che ai suoi occhi io ero ancora speciale.

Come potevo recuperare tutto ciò? Certo, ora sapevo di doverla corteggiare di nuovo, ma la nostra completa familiarità, che in un primo tempo avevo creduto potesse facilitare le cose, in realtà rendeva tutto più difficile. I nostri dialoghi durante la cena, tanto per fare un esempio, erano ingabbiati nella routine. Nelle prime settimane dopo la mia visita a Noah, mentre ero in ufficio studiavo nuovi argomenti di discussione da presentarle, ma quando poi glieli esponevo, sembravano forzati e si esaurivano presto. Come sempre, ci ritrovavamo a parlare dei figli o dei miei clienti.

Cominciai a rendermi conto che la nostra vita insieme procedeva su binari percorsi innumerevoli volte, che non avrebbero certo favorito il rinnovarsi della passione. Per anni ci eravamo organizzati in base a orari diversi per riuscire a far quadrare i nostri impegni. Nei primi tempi io avevo lavorato molto – anche la sera e nei week-end – perché volevo crearmi una reputazione di affidabilità professionale. Non usavo mai tutti i giorni di ferie che mi spettavano. Forse esageravo nella mia determinazione a fare buona impressione su Ambry e Saxon, i titolari dello studio, ma volevo garantire un buon tenore di vita a mia moglie e ai miei figli. Adesso mi rendo conto che la corsa al successo e la mia innata introversione mi tenevano separato dal resto della famiglia, come se fossi sempre stato una specie di estraneo nella mia stessa casa.

Mentre io ero perso nel mio mondo, Jane era via via più impegnata con i ragazzi. A mano a mano che aumentavano le loro esigenze e le loro attività, la vedevo sempre più di sfuggita, come un vortice instancabile che mi sfiorava appena quando ci incrociavamo in corridoio. In certi anni, devo ammetterlo, capitava che cenassimo più spesso separati che insieme e, sebbene a volte lo trovassi strano, non feci nulla per cambiare la situazione.

Alla fine ci eravamo talmente abituati a questo ritmo di vita che quando i figli avevano smesso di dominare le nostre esistenze non trovammo la forza di riempire i vuoti che si erano creati tra di noi. Così, il mio improvviso tentativo di recuperare l'intimità perduta si rivelò efficace quanto cercare di forare un muro di granito con un cucchiaio.

Con questo non voglio dire che non ci provai. A gennaio, per esempio, comprai un libro di ricette e presi l'abitudine di preparare la cena per noi due il sabato sera; certe volte venivano persino fuori piatti originali e gustosi. Oltre alle mie solite partite di golf, cominciai a fare jogging tre volte la settimana, nella speranza di perdere qualche chilo. Passai anche qualche pomeriggio in biblioteca, a consultare manuali di psicologia cercando suggerimenti utili. Il consiglio degli esperti per far funzionare il matrimonio? Concentrarsi sulle quattro A: attenzione, apprezzamento, affetto, attrazione. Naturale, ricordo di aver pensato, è proprio così, e allora rivolsi i miei sforzi in tale direzione. La sera passavo più tempo con Jane, invece di starmene da solo nello studio, e le facevo spesso dei complimenti. Quando mi parlava delle sue attività quotidiane, l'ascoltavo attentamente o intervenivo in maniera mirata a farle capire che godeva di tutta la mia considerazione.

Non mi illudevo che questi semplici rimedi potessero riaccendere miracolosamente la passione, né prevedevo esiti significativi a breve termine. C'erano voluti ventinove anni per allontanarci, e sapevo che qualche settimana di cambiamento di strategia avrebbe rappresentato solo l'inizio di un lento processo di riavvicinamento. Tuttavia, nonostante qualche piccolo risultato, i progressi erano più lenti di quanto avessi sperato. Verso fine primavera giunsi alla conclusione che dovevo escogitare qualcos'altro, qualcosa di più radicale, per dimostrare a Jane che era ancora, e che sarebbe sempre stata, la persona più importante della mia vita. E poi, una sera tardi, mentre sfogliavo gli album con le foto di famiglia, un'idea cominciò a prendere forma nella mia mente.

Il mattino successivo mi svegliai pieno di energia e di buone intenzioni. Il mio nuovo piano richiedeva metodo e segretezza, e per prima cosa affittai una casella postale. Subito però il mio progetto si arenò perché proprio in quei giorni Noah ebbe un ictus.

Non era il primo, ma questo fu grave. Rimase in ospedale quasi due mesi e per tutto il periodo le attenzioni di mia moglie si concentrarono su di lui. Passava la giornata al suo capezzale e la sera tornava a casa troppo sfinita e angosciata per dare il giusto valore ai miei tentativi di corteggiamento. Alla fine mio suocero poté tornare a Creekside e ben presto riprese l'abitudine di dar da mangiare al cigno, ma non sembrava probabile che vivesse ancora a lungo.

Jane piangeva spesso e io le stavo semplicemente accanto, cercando di darle conforto.

Di tutto ciò che feci quell'anno, fu proprio questo che mia moglie apprezzò di più. Forse per lei in quel momento rappresentavo la stabilità, oppure quello era davvero il risultato dei miei sforzi degli ultimi mesi, ma in ogni caso cominciai a notare in Jane sporadiche manifestazioni d'affetto nei miei confronti. Sebbene fossero rare mi sembravano promettenti spiragli di speranza.

Per fortuna, le condizioni di Noah continuarono a migliorare e, verso i primi di agosto eravamo di nuovo vicini alla data del nostro anniversario. Avevo perso quasi dieci chili da quando avevo iniziato a fare jogging e tutti i giorni passavo dall'ufficio postale per ritirare gli articoli ordinati. Lavoravo al mio progetto speciale in ufficio, per tenerlo nascosto a Jane. Inoltre, avevo deciso di tenermi libero per due settimane intorno alla data del nostro trentesimo anniversario – sarebbero state le ferie più lunghe della mia vita – con l'intenzione di trascorrere quel tempo con mia moglie. Visto come mi ero comportato l'anno precedente, stavolta volevo rendere la ricorrenza indimenticabile.

E poi, la sera di venerdì 15 agosto – otto giorni esatti prima del nostro anniversario – accadde qualcosa di clamoroso.

Eravamo tranquillamente seduti in salotto. Io occupavo la mia poltrona preferita e stavo leggendo la biografia di Theodore Roosevelt, mentre mia moglie sfogliava un catalogo. Di colpo, si spalancò la porta d'ingresso ed entrò nostra figlia. All'epoca Anna abitava ancora a New Bern, ma stava per trasferirsi a Raleigh con Keith, che avrebbe frequentato il primo anno di Medicina alla Duke University.

Nonostante il caldo, era vestita di nero. Aveva due orecchini per ciascun orecchio e un rossetto troppo scuro sulle labbra. Ormai mi ero abituato ai vezzi gotici della sua personalità, ma quando si sedette di fronte a noi, non potei fare a meno di notare ancora una volta quanto assomigliasse alla madre. Il suo viso era arrossato e si stringeva nervosamente le mani.

«Mamma e papà», esordì, «devo dirvi una cosa.»

Jane si drizzò a sedere e posò il catalogo. Dal tono di voce di nostra figlia si capiva che stava per farci una comunicazione importante. L'ultima volta che si era comportata così ci aveva annunciato la sua intenzione di andare a vivere con Keith.

«Che c'è, tesoro?» disse Jane.

Anna guardò lei, poi me, quindi di nuovo sua madre, e infine trasse un profondo respiro.

«Mi sposo.»

Ultimamente mi sono convinto che i figli vivano per la soddisfazione di cogliere di sorpresa i genitori, e l'annuncio di Anna non fece eccezione.

In effetti, tutto ciò che ha riguardato i miei ragazzi si è sempre rivelato sorprendente. In genere si sostiene che il primo anno di matrimonio sia il più difficile, ma per Jane e per me – a parte forse gli ultimi tempi – il periodo più critico è stato quello successivo alla nascita dei nostri figli. Il quadretto idilliaco dei neogenitori sorridenti e rilassati, che si tengono per mano commossi davanti alla culla del neonato, è assolutamente falso.

Mia moglie si riferisce ancora adesso a quel periodo come agli «anni odiosi». Lo dice a bassa voce, è ovvio, ma dubito fortemente che lo rivivrebbe volentieri.

Con «odiosi» Jane intende questo: in quei momenti odiava praticamente tutto. Il proprio aspetto e le proprie emozioni. I seni che le dolevano e i vestiti che non le entravano. La pelle unta e i brufoli che non aveva più avuto dall'adolescenza. Ma ciò che soprattutto detestava era la mancanza di sonno; la irritava moltissimo sentire i racconti di altre madri i cui figli avevano dormito tutta la notte fin dai primi giorni di vita. Anzi, odiava *chiunque* riuscisse a riposare per più di tre ore di fila, e a volte il suo risentimento si riversava anche su di me. Dopo tutto io non potevo allattare e certe notti mi trasferivo a dormire nella camera degli ospiti per essere sufficientemente lucido il giorno dopo in ufficio. Razionalmente lei capiva la mia esigenza, ma questo non mi procurava certo la sua simpatia.

«Buongiorno», la salutavo la mattina quando entrava in cucina trascinando i piedi. «Il bambino ha dormito?»

Invece di rispondere, lei sibilava d'impazienza armeggiando con la caffettiera.

«Sei stata sveglia a lungo?» provavo a chiederle.

«Tu non dureresti una settimana.»

Come rispondendo a un comando, a quel punto il bambino cominciava a piangere. Jane digrignava i denti, sbatteva sul tavolo la tazza di caffè e assumeva un'espressione sfinita, come se si chiedesse perché Dio ce l'avesse tanto con lei.

Con il tempo, ho imparato che la cosa più saggia era non dire niente.

E poi, ovviamente, c'era il fatto che un figlio cambia radicalmente il rapporto di coppia. Si smette di essere soltanto moglie e marito per diventare anche madre e padre, e addio spontaneità. Cena al ristorante? Bisogna verificare se i nonni possono tenere il bambino, oppure trovare una baby-sitter. Una sera al cinema? Puoi passare un anno senza riuscirci. Week-end fuori città? Neanche concepibile. Non c'era più tempo per fare quello che ci aveva fatto innamorare – camminare, parlare e trascorrere del tempo da soli – e per entrambi era molto, molto difficile.

Con questo non voglio dire che fosse tutto un inferno. Quando mi chiedono come sia essere genitori, rispondo che è un'esperienza davvero dura, ma che in cambio ti insegna che cosa sia l'amore incondizionato. Ogni nuovo gesto del tuo bambino ti colpisce come la magia più grande a cui puoi assistere. Non scorderò mai il primo sorriso di ciascuno dei miei figli; ricordo di aver applaudito, osservando le lacrime che rigavano il viso di Jane, quando mossero i loro primi passi; e non c'è nulla di più rappacificante del tenere tra le braccia un neonato addormentato mentre ti chiedi come sia possibile voler bene così intensamente. Sono quelli i momenti che mi ritrovo a ricordare con chiarezza adesso. Le difficoltà – sebbene possa parlarne in maniera spassionata – ora non sono altro che immagini distanti e appannate, più simili al sogno che alla realtà.

No, non esiste un'altra esperienza paragonabile all'avere dei figli e, nonostante le sfide che abbiamo dovuto affrontare, mi ritengo fortunato per la famiglia che abbiamo creato.

Come ho detto, però, ho appena imparato a essere pronto alle sorprese.

Udita la dichiarazione di Anna, Jane balzò in piedi con un grido e la strinse tra le braccia. Entrambi eravamo molto affezionati a Keith e, quando anch'io l'abbracciai facendole le mie congratulazioni, mia figlia mi ricambiò con un sorriso enigmatico.

«Oh, tesoro», riprese Jane, «è davvero meraviglioso! Come te l'ha chiesto? Quando? Voglio sapere tutto... Fammi vedere l'anello...»

Dopo quella raffica di domande, vidi l'espressione entusiasta di mia moglie smorzarsi notando i cenni di diniego di Anna

«Non sarà un matrimonio di quel genere, mamma. Viviamo già insieme e nessuno dei due vuole dare eccessiva risonanza alla cosa. Non ci servono altri frullatori o servizi da insalata.»

Non fui sorpreso. Come ho già detto, la mia bambina ha sempre fatto le cose a modo suo.

«Oh...» esclamò Jane, ma prima che potesse replicare, Anna le prese la mano.

«C'è un'altra cosa, mamma. È importante.»

Lanciò un'occhiata seria a me e a Jane.

«Il fatto è... avete presente le condizioni del nonno, no?»

Noi annuimmo. Come tutti i miei figli, anche Anna era sempre stata molto legata a Noah.

«E dopo l'ictus e tutto il resto... ecco, Keith è stato felicissimo di conoscerlo e io gli voglio un bene dell'anima...»

Si fermò e Jane le strinse la mano per incoraggiarla a proseguire.

«Insomma, vogliamo che lui sia presente e nessuno può dire per quanto tempo... Keith e io abbiamo valutato le possibili date e, tra il fatto che lui partirà per il suo tirocinio alla Duke tra due settimane e che anch'io traslocherò e viste le condizioni del nonno... ecco, ci chiedevamo se per voi andrebbe bene...»

Si interruppe, esitò un attimo, poi finalmente posò gli occhi sulla madre.

«Sì», sussurrò Jane.

Anna fece un respiro profondo. «Pensavamo di sposarci sabato prossimo.»

La bocca di mia moglie formò una muta O di sorpresa. Anna riprese a parlare, chiaramente ansiosa di spiegarci tutto prima che noi la interrompessimo.

«So che è il vostro anniversario – e capirò se mi direte di no, ovviamente – ma secondo noi sarebbe un modo carino di festeggiarvi. Per celebrare tutto ciò che avete fatto per voi due, e per me. E mi sembra anche la cosa migliore. Cioè, desideriamo una cerimonia molto semplice, soltanto un giudice di pace e poi magari una cena in famiglia. Non vogliamo regali, né altre formalità. Che ne dite?»

Mi bastò guardare il volto di Jane per capire quale sarebbe stata la sua reazione.

Tre

Il nostro fidanzamento non era stato lungo, proprio come quello di Anna. Dopo la laurea in Legge avevo iniziato a lavorare come associato allo studio Ambry e Saxon, perché allora Joshua Tundle non era ancora diventato socio. Era un associato come me, e i nostri uffici stavano uno di fronte all'altro. Durante il mio primo anno di lavoro, mi chiedeva spesso se mi ero adattato a vivere in provincia. Gli confessai che non era esattamente come mi ero immaginato. Quando studiavo all'università, credevo che sarei andato a esercitare in una grande città, come avevano fatto i miei genitori, e invece avevo finito per accettare un posto nella cittadina dov'era cresciuta Jane.

Mi ero trasferito lì per lei, e non posso dire di aver mai rimpianto la mia decisione. Forse New Bern non avrà un'università o centri di ricerca, ma quello che le manca in dimensioni è ampiamente compensato dal carattere. Sorge a centocinquanta chilometri a sudest di Raleigh, in una piana coperta di boschi di conifere e percorsa da fiumi ampi e lenti. Le acque salmastre del fiume Neuse lambiscono la periferia della città e sembrano cambiare colore ogni ora, dal grigio plumbeo dell'alba al blu dei pomeriggi assolati, al marrone del tramonto. Di notte, poi, è un nastro di carbone liquido.

Il mio ufficio si trova nel centro storico e a volte, dopo pranzo, mi piace passeggiare tra le vecchie case. New Bern venne fondata nel 1710 da pionieri svizzeri e palatini ed è la seconda città più vecchia del North Carolina. Quando mi trasferii qui, gran parte dei vecchi edifici erano in condizioni di estremo degrado, ma negli ultimi trent'anni la situazione è cambiata. Una dopo l'altra, le antiche dimore sono state riportate allo splendore di un tempo dai nuovi proprietari, e adesso una passeggiata per il centro comunica la sensazione che il rinnovamento sia possibile in epoche e luoghi che non ci aspetteremmo. Gli appassionati di architettura possono ammirare vetri soffiati alle finestre, vecchie decorazioni di ottone alle porte e boiserie intagliate a mano che si accordano ai pavimenti di legno di pino. Affacciate sulle strette vie ci sono graziose verande che rimandano a un tempo in cui la gente sedeva fuori di sera per godersi un refolo di vento. Le strade sono fiancheggiate da querce e cornioli, e a primavera migliaia di azalee esplodono in una rigogliosa fioritura. In poche parole, è uno dei luoghi più belli che abbia mai visto.

Jane è cresciuta appena fuori città, nella dimora di una piantagione ottocentesca. Noah la ristrutturò dopo la seconda guerra mondiale, con una meticolosa opera di restauro e, come molti altri edifici storici della zona, la casa conserva un'aria di grandezza che è andata aumentando con il passare del tempo.

A volte mi reco alla vecchia piantagione. Ci passo dopo il lavoro o mentre vado al supermercato; altre volte ci vado di proposito. È uno dei miei segreti, di cui nemmeno Jane è al corrente. Pur essendo sicuro che non ci sia nulla di male, provo un piacere particolare nel tenere per me queste visite. Andare lì mi dà una sensazione di mistero e di intimità, perché so che tutti abbiamo dei segreti, compresa mia moglie. E mentre osservo la proprietà, spesso mi chiedo quali possano essere i suoi.

Solo una persona è a conoscenza di queste mie visite. Si chiama Harvey Wellington ed è un nero della mia età che abita in una casetta di legno su un terreno adiacente. La sua famiglia ha vissuto in quel posto dall'inizio del Novecento e lui è pastore nella locale chiesa battista. È sempre stato affezionato alla famiglia di Jane e a lei in particolare, ma da quando Noah e Allie si sono trasferiti a Creekside, i nostri contatti si sono limitati per lo più ai biglietti di auguri che ci scambiamo per Natale. Lo scorgo spesso in piedi sul suo portico mentre faccio il mio giro, ma a causa della distanza non riesco a distinguere la sua espressione.

Non entro quasi mai nella casa. È chiusa da quando Noah e Allie se ne sono andati e i mobili, coperti da lenzuola, sembrano fantasmi. Preferisco aggirarmi per la proprietà. Percorro il vialetto di ghiaia;

cammino lungo la staccionata, toccando i paletti; mi dirigo verso il retro, dove scorre il fiume. Il letto del fiume qui è più stretto che in città e in certi momenti l'acqua è perfettamente immobile, come uno specchio. A volte mi spingo fino all'estremità del pontile e guardo il cielo riflesso sull'acqua, mentre ascolto il fruscio delle foglie mosse dalla brezza.

Oppure mi fermo sotto il pergolato costruito da Noah dopo il matrimonio. Allie aveva la passione per i fiori e lui aveva piantato un roseto a forma di cuori concentrici visibile dalla finestra della camera da letto, con al centro una fontana a tre livelli. Aveva installato anche una serie di riflettori che illuminavano il giardino di notte con un effetto stupefacente. Il pergolato intrecciato conduceva al giardino ed era riprodotto in molti quadri, belli e un po' tristi, dipinti da Allie. Adesso il roseto è incolto, il pergolato vecchio e cadente, ma io mi commuovo ancora alla loro vista. Spesso mi capita di accarezzare gli intagli nel legno o di osservare in silenzio le rose, nella speranza forse di assorbire qualche dote che mi è sempre sfuggita.

È un luogo speciale per me. Dopo tutto, è lì che mi sono reso conto per la prima volta di amare Jane e, pur sapendo che la mia vita è migliorata grazie a questo amore, devo ammettere che ancora oggi resto sconcertato dal modo in cui accadde.

Non avevo certo intenzione di innamorarmi di Jane quando l'accompagnai alla macchina in quella piovosa giornata del 1971. La conoscevo appena, ma mentre stavo sotto l'ombrello e la guardavo allontanarsi, fui colto dall'assoluta certezza di volerla rivedere. Quella sera, nonostante i miei sforzi per concentrarmi nello studio, le sue parole mi riecheggiavano ancora nella mente.

Non importa, Wilson. Mi piacciono le persone timide.

Incapace di prestare attenzione ai libri, alla fine mi alzai dalla scrivania. Non avevo né il tempo né il desiderio di cominciare una relazione, mi dissi, e dopo aver camminato per la stanza riflettendo sul ritmo frenetico della mia vita – oltre che sulla mia volontà di essere al più presto economicamente indipendente – presi la decisione di non frequentare più il bar dove lavorava. Non fu una scelta facile, ma al momento mi parve la cosa giusta e mi imposi di non pensarci più.

La settimana successiva andai a studiare in biblioteca, ma mentirei se dicessi che non rividi Jane. Tutte le sere, immancabilmente, rivivevo il nostro breve incontro: la sua folta chioma, il suo accento, il suo sguardo paziente mentre eravamo fermi sotto la pioggia. Più mi sforzavo di non pensare a lei, più le immagini acquistavano vigore. Capii che la mia determinazione non sarebbe durata un'altra settimana e il sabato mattina mi ritrovai con le chiavi della macchina in mano.

Non andai al bar per chiederle se voleva uscire con me. No, dovevo dimostrare a me stesso che si era trattato solo di un'infatuazione. Una ragazza come tante, mi dicevo. Rivedendola, mi sarei reso conto che non era niente di speciale. Ero quasi riuscito a convincermi quando arrivai al parcheggio.

Vidi che il locale era affollato come sempre e per raggiungere il mio posto abituale dovetti farmi largo tra un gruppo di ragazzi che stava uscendo. Il tavolo era appena stato pulito e, dopo essermi seduto, lo asciugai con un fazzoletto di carta prima di posarci sopra il libro.

A testa china, stavo sfogliando le pagine per ritrovare il segno quando mi accorsi che lei si stava avvicinando. Finsi di non notarla finché non si fermò al tavolo, ma alzando gli occhi realizzai che non si trattava affatto di Jane: era una donna sulla quarantina. Teneva un blocchetto per le ordinazioni nella tasca del grembiule e una penna dietro l'orecchio.

«Ti va un caffè stamattina?» mi chiese. La cameriera aveva un modo di fare rapido ed efficiente, ma non l'avevo mai vista prima.

«Sì, grazie.»

«Torno subito», replicò lasciandomi il menu. Non appena si fu allontanata, mi guardai intorno e scorsi Jane che portava dei piatti dalla cucina a un gruppo di tavoli all'altro capo della sala. Rimasi a osservarla per qualche istante, chiedendomi se si fosse accorta del mio arrivo, ma lei sembrava concentrata nel suo lavoro. Da lontano non c'era niente di magico nella sua figura o nei suoi movimenti e io tirai un sospiro di sollievo, convinto di essermi scrollato di dosso quella strana infatuazione che mi aveva tormentato negli ultimi tempi.

Arrivò il caffè e ordinai da mangiare. Tornai al libro, ma dopo aver letto mezza pagina all'improvviso udii la sua voce

«Ciao, Wilson.»

Quando alzai gli occhi, incontrai il suo sorriso. «Non sei venuto sabato scorso», proseguì disinvolta. «Pensavo di averti spaventato.»

Deglutii, di nuovo colpito dalla sua bellezza. Non so per quanto tempo rimasi a fissarla senza parlare, ma di sicuro mi incantai tanto a lungo da far comparire sul suo viso un'espressione preoccupata.

«Wilson?» mi chiese infine. «Ti senti bene?»

«Sì», risposi, e poi non trovai più niente da dirle.

Dopo un momento lei annuì, l'aria sconcertata. «Bene... bene. Mi spiace di non averti visto entrare. Ti avrei fatto sedere a uno dei miei tavoli. Ormai ti considero un cliente abituale.»

«Sì», ripetei. Sapevo che la mia risposta non aveva senso, ma quella sembrava l'unica sillaba che riuscissi a formulare.

Aspettò che aggiungessi qualcosa, e quando rimasi zitto notai un lampo di delusione sul suo viso. «Be' vedo che hai da fare», disse infine, indicando il mio libro. «Volevo solo salutarti e ringraziarti di nuovo per avermi accompagnata alla macchina. Buona colazione.»

Stava già per voltarsi quando finalmente trovai la

forza di spezzare l'incantesimo che mi teneva prigioniero.

«Jane?» sbottai.

«Sì?»

Mi schiarii la gola. «Magari una volta potrei accompagnarti alla macchina anche se non piove.»

Mi esaminò un istante prima di rispondere: «Mi farebbe piacere, Wilson».

«Magari oggi?»

Lei sorrise. «Volentieri.»

Quando si voltò per andarsene, parlai di nuovo.

«E... Jane?»

Questa volta girò soltanto la testa. «Sì?»

In quel momento compresi finalmente il vero motivo della mia presenza lì. Posai le mani sul libro come per trarre forza da un mondo che comprendevo, e le proposi: «Vorresti cenare con me questa sera?»

Lei sembrò divertita dal fatto che avessi impiegato tanto per chiederglielo.

«Sì, Wilson», mi disse. «Ne sarei felicissima.»

Ora, più di tre decenni dopo, Jane e io eravamo seduti in salotto con nostra figlia a discutere del suo imminente matrimonio.

L'annuncio che Anna voleva sposarsi con una cerimonia semplice e veloce venne accolto da un silenzio assoluto. Dapprima mia moglie rimase come paralizzata, poi si riprese e cominciò a scrollare il capo, mormorando con crescente vigore: «No, no, no...»

La sua reazione era prevedibile. Una madre nutre sempre grandi aspettative per la festa di nozze della figlia. Vuole il meglio per lei, e non è un caso che un'intera industria sia sorta intorno a questi eventi. E poi le idee di Anna in proposito erano in forte contrasto con le sue convinzioni.

Per lei il problema non era che Anna e Keith avessero scelto di sposarsi il giorno del nostro anniversario – Jane conosceva meglio di chiunque altro lo stato di salute del padre ed era vero che i due si sarebbero trasferiti lontano nel giro di un paio di settimane – quanto che volessero sposarsi davanti a un giudice di pace. Né le piaceva la prospettiva di avere solo otto giorni per i preparativi e di dover limitare il numero degli invitati

Rimasi seduto in silenzio mentre cominciavano le trattative vere e proprie. Jane esordì con: «E gli Sloan? Ci resteranno malissimo se non li inviti. E John Peterson? Ti ha dato lezioni di piano per anni, e so che gli sei affezionata».

«Ma non è poi questo grande evento», replicò Anna. «Keith e io viviamo insieme, e molti ci considerano già sposati.»

«E il fotografo? Non vuoi avere qualche immagine per ricordo?»

«Sono sicura che ci penserà qualche invitato», obiettò Anna. «Oppure potresti farlo tu. Hai scattato migliaia di fotografie della nostra famiglia.»

A queste parole, Jane scrollò la testa e si lanciò in un'arringa appassionata per convincere la figlia che si trattava del giorno più importante della sua vita, al che l'altra ribatté che sarebbe stato comunque un matrimonio, anche senza tutti gli orpelli. Non c'era ostilità tra loro, ma era evidente che si trovavano in un'impasse.

In genere ho l'abitudine di delegare a mia moglie la soluzione di simili questioni, soprattutto quando ci sono di mezzo le ragazze, ma in questo caso il mio intervento era necessario e mi drizzai a sedere sul divano.

«Forse si può arrivare a un compromesso», annunciai.

Anna e Jane si voltarono a guardarmi.

«So che sei decisa a sposarti sabato prossimo», dissi a mia figlia, «ma ci lasceresti invitare qualche altra persona, oltre ai parenti stretti? Ti aiuteremmo noi con tutti i preparativi.»

«Non so se ce n'è il tempo…» protestò Anna.

Le trattative proseguirono per un'ora, e alla fine giungemmo a un accordo. Anna si dimostrò straordinariamente disponibile, una volta che ebbi esposto le nostre ragioni. Disse che conosceva un pastore che forse sarebbe stato disposto a celebrare il rito. Jane pareva sollevata e più soddisfatta a mano a mano che il progetto prendeva forma.

Nel frattempo, io stavo pensando non solo alle nozze di mia figlia, ma anche al nostro trentesimo anniversario, che avevo sperato di rendere indimenticabile. Un matrimonio e un anniversario nello stesso giorno, riflettei, e d'un tratto compresi quale dei due eventi sarebbe stato più impegnativo.

La nostra casa si affaccia sul fiume Trent e ha un ampio giardino sul retro. A volte di sera mi siedo in terrazza a guardare le dolci increspature della corrente illuminate dalla luna. In certe nottate, l'acqua sembra viva.

Diversamente da quella di Noah, l'abitazione non è circondata da un portico, perché risale a un'epoca più recente, quando l'aria condizionata e l'irresistibile attrazione della TV tenevano la gente dentro le mura domestiche. La prima volta che la vedemmo, Jane si affacciò alle finestre sul retro e decise che, se non poteva avere un portico, voleva almeno una terrazza. Quello fu il primo dei molti interventi di ristrutturazione che trasformarono l'edificio in qualcosa che sentivamo come nostro.

Dopo che Anna se ne fu andata, mia moglie rimase immobile a fissare la porta a vetri. E poi, prima che potessi domandarle a che cosa stesse pensando, si alzò di scatto e uscì in terrazza. Allora andai in cucina e stappai una bottiglia. Jane non era una gran bevitrice, ma di tanto in tanto le piaceva sorseggiare un bicchiere di vino, e pensai che quello fosse il momento giusto.

Con il bicchiere in mano, la raggiunsi fuori. L'aria notturna era animata dal rumore dei grilli e delle rane. La luna non era ancora sorta, e sulla riva opposta si vedevano le luci delle altre case di campagna. Si era alzata la brezza e sentivo il lieve tintinnio delle campane a vento che Leslie ci aveva regalato il Natale precedente.

A parte questo, tutto era silenzio. Nella luce soffusa sulla terrazza scorsi il profilo regolare di Jane, che aveva conservato nel tempo la sua bellezza. Guardando i suoi zigomi alti e le labbra carnose, ringraziai ancora una volta il Cielo che le nostre figlie somigliassero più a lei che a me. E adesso che una di loro era in procinto di sposarsi, mi aspettavo di vedere sul suo volto un'espressione di gioia. Avvicinandomi, tuttavia, mi accorsi con sbigottimento che stava piangendo.

Indugiai, chiedendomi se fosse meglio lasciarla sola. Prima che potessi rientrare, però, Jane avvertì la mia presenza e girò la testa verso di me.

«Ehi», disse, tirando su con il naso.

«Stai bene?» le chiesi.

«Sì.» Fece una pausa, poi scosse il capo. «Cioè, no. Anzi, veramente non capisco come sto.»

Feci qualche passo e posai il bicchiere sulla balaustra. Nell'oscurità, il vino sembrava denso come olio.

«Grazie.» Dopo aver bevuto un sorso, fece un profondo sospiro, poi lasciò vagare lo sguardo verso il fiume.

«Certo che Anna non si smentisce mai», riprese dopo un po'. «Non dovrei esserne sorpresa, lo so, eppure...»

Lasciò la frase a metà e posò il bicchiere.

«Pensavo che Keith ti piacesse», commentai.

«Infatti. Ma una settimana? Non capisco come le sia venuta un'idea simile. Tanto valeva che si sposasse di nascosto.»

«L'ayresti preferito?»

«No. Mi sarei arrabbiata da morire con lei.»

Sorrisi. Jane era sempre stata sincera.

«È solo che c'è un sacco da fare», proseguì, «e non so proprio come ci riusciremo. Non pretendevo un ricevimento nel salone delle feste del *Plaza*, ma speravo che volesse almeno un fotografo. O i suoi amici.»

«Ma in fondo non ha ceduto su molti punti?»

Jane non rispose subito, prendendosi il tempo necessario per scegliere con cura le parole.

«Non credo si renda conto di quanto spesso ripenserà al giorno del suo matrimonio in futuro. Ha detto che per lei non è un fatto importante.»

«Se lo ricorderà per tutta la vita, comunque vada», ribattei in tono gentile.

Jane chiuse gli occhi. «Non capisci», mormorò.

Invece capivo perfettamente che cosa intendeva.

In poche parole, Jane non voleva che Anna commettesse il suo stesso errore.

Mia moglie rimpiangeva il modo in cui ci eravamo sposati. Ero stato io a insistere per un matrimonio civile e, pur assumendomi la mia parte di responsabilità, devo precisare che i miei genitori ebbero un ruolo decisivo.

A differenza della maggior parte di chi ci circondava, i miei erano atei e mi allevarono secondo le loro convinzioni. Ricordo di aver sviluppato in seguito una certa curiosità per le credenze e i riti di cui a volte mi capitava di leggere, ma la religione non faceva parte degli argomenti di conversazione abituali a casa mia. Non se ne parlava e basta, e sebbene in certi momenti mi rendessi conto di essere diverso dagli altri bambini del quartiere, quello non era un problema che mi crucciava troppo.

Adesso la penso diversamente. Reputo la mia fede il dono più grande che abbia mai ricevuto, e qui non aggiungerò altro, se non che, con il senno di poi, posso dire di aver sempre sentito che nella mia vita mancava qualcosa. Gli anni trascorsi assieme a Jane me l'hanno dimostrato. Come i suoi genitori, anche mia moglie è animata da un fede profonda ed è stata lei a portarmi per la prima volta in chiesa. Comperò anche una Bibbia, che leggevamo insieme la sera.

Tutto questo, però, accadde solo dopo che ci eravamo sposati.

L'unica fonte di tensione nel periodo del fidanzamento fu proprio il mio ateismo, che doveva averla portata a dubitare della nostra compatibilità. Un giorno lei mi ha detto che, se non fosse stata sicura che alla fine mi sarei aperto anch'io alla religione, non mi avrebbe sposato. Comunque, all'epoca l'ebbi vinta e il rito si svolse in municipio. Ero infatti fortemente convinto che, agendo diversamente, mi sarei comportato da ipocrita.

La scelta del matrimonio civile fu influenzata anche da una certa dose di orgoglio: non mi andava che i genitori di Jane si accollassero la spesa della cerimonia in chiesa, anche se potevano permetterselo. Come padre, adesso vedo in tale usanza un dono carico di significato, ma io volevo fare tutto da solo. E se io non avevo i soldi per un vero ricevimento, mi dicevo, allora vi avremmo rinunciato del tutto.

A quel tempo ero entrato da poco nello studio legale e guadagnavo uno stipendio decente, però risparmiavo più che potevo in vista dell'acquisto di un'abitazione. In questo modo riuscimmo a comperare la nostra prima casa nove mesi dopo il matrimonio, ma ora non reputo più giustificabile un sacrificio simile. Ho imparato che anche la frugalità ha il suo prezzo, con conseguenze che a volte durano a lungo.

La nostra cerimonia di nozze si concluse in meno di dieci minuti. Io indossavo un abito grigio scuro e Jane un prendisole giallo, con un gladiolo tra i capelli. I suoi genitori ci salutarono sui gradini del municipio con un bacio e una stretta di mano. Trascorremmo la luna di miele in una semplice locanda di Beaufort, nella quale, sebbene Jane adorasse il letto a baldacchino dove facemmo l'amore per la prima volta, ci trattenemmo solo per il fine settimana, perché dovevo tornare in ufficio il lunedì.

Non fu il genere di matrimonio che Jane aveva sognato da ragazzina, adesso lo so. E per sua figlia Anna ora lei voleva una scena del tutto diversa. Una giovane donna raggiante accompagnata all'altare dal padre, una cerimonia officiata da un sacerdote alla presenza di parenti e amici. Una festa con cibo in abbondanza e la torta e i fiori su ogni tavolo, nel corso del quale gli sposi possono ricevere le congratulazioni dalle persone più care. Magari anche un po' di musica, per permettere alla sposa di ballare con il marito e con il padre che l'ha cresciuta, sotto gli sguardi gioiosi degli invitati.

Ecco quello che avrebbe desiderato Jane.

Quattro

Sabato mattina, il giorno dopo l'annuncio di Anna, il caldo era già soffocante mentre lasciavo l'auto nel parcheggio di Creekside. Il sole d'agosto rallentava il ritmo di vita. Il traffico era più pigro, i semafori restavano sul rosso più a lungo del solito e i pedoni usavano solo le energie strettamente necessarie ad avanzare per le strade, come se fossero impegnati in una gara di marcia al rallentatore.

Jane e Anna erano in giro. Dopo essere rientrata in casa la sera precedente, mia moglie si era seduta al tavolo di cucina e aveva compilato un elenco delle cose da fare. Pur limitandosi allo stretto necessario, i suoi appunti occupavano tre pagine intere, con precisi obiettivi da raggiungere ogni giorno per una settimana.

L'organizzazione è sempre stata il suo forte. Che si trattasse della raccolta di fondi per i boy scout o di una pesca di beneficenza in parrocchia, lei era la persona incaricata di occuparsene. Anche se a volte queste responsabilità la lasciavano sfinita – dopo tutto aveva tre figli da seguire – non si tirava mai indietro. Ora, ricordando lo stato di stress in cui a volte cadeva, mi riproposi almeno di alleggerire le mie esigenze nei suoi riguardi.

Il giardino alle spalle di Creekside era ornato di siepi squadrate e cespugli di azalea in fiore. Dopo aver attraversato l'edificio – ero sicuro che Noah non fosse in camera sua – imboccai il sentiero di ghiaia che conduceva al laghetto. Quando lo vidi, scrollai la testa, notando che indossava il suo cardigan blu preferito nonostante l'afa. Solo Noah poteva sentirsi infreddolito in una giornata così.

Aveva appena finito di dar da mangiare al cigno, che nuotava ancora in cerchio davanti a lui. Mentre mi avvicinavo, lo udii parlare con l'animale, anche se non riuscii a cogliere le parole. Il cigno sembrava fidarsi ciecamente di quell'uomo. Mio suocero mi aveva detto che a volte gli si accoccolava accanto, ma io non lo avevo mai visto.

«Ciao, Noah», lo salutai.

Con evidente sforzo, lui girò la testa. «Ciao, Wilson.» Alzò la mano. «Grazie di essere venuto.»

«Come va?»

«Potrebbe andare meglio», rispose, «ma anche peggio.»

Pur andando lì spesso, a volte quel posto mi deprimeva perché sembrava pieno di persone lasciate indietro dalla vita. I medici e le infermiere ci dicevano che Noah era fortunato, dato che riceveva spesso visite, mentre la maggior parte degli altri ospiti trascorreva le giornate davanti alla televisione per ingannare la solitudine dei loro ultimi anni. Lui di sera recitava poesie agli altri degenti. Amava in modo particolare le composizioni di Walt Whitman e notai che sulla panchina c'era una copia di *Foglie d'erba*. Non andava da nessuna parte senza portarsi dietro quel libro. Anch'io e Jane lo avevamo letto in passato, ma sinceramente non riuscivo a capire che cosa ci trovasse lui di tanto significativo.

Mentre lo osservavo, venni assalito ancora una volta da un senso di grande tristezza per le sue condizioni fisiche. Ultimamente era molto invecchiato: soffriva d'asma e non muoveva più la mano sinistra a causa dell'ictus che lo aveva colpito l'anno prima. Noah si stava spegnendo lentamente, lo sapevo già da qualche tempo, ma adesso sembrava che anche lui se ne rendesse conto.

Stava guardando il cigno con la macchia sul petto. Era come un neo o una voglia, oppure un pezzo di carbone caduto nella neve, il tentativo della natura di mutare la perfezione. In certi periodi dell'anno il laghetto si riempiva di una decina di cigni, ma quello era l'unico a non andarsene mai. L'ho visto nuotare anche con le temperature più rigide, quando gli altri erano già migrati verso sud. Una volta Noah mi disse perché quell'animale rimaneva sempre lì, e la sua spiegazione aveva rafforzato l'opinione dei medici che fosse afflitto da manie ossessive.

Mi sedetti sulla panchina e gli raccontai quello che

era accaduto la sera prima tra Anna e Jane. Alla fi
ne, lui mi guardò con una smorfia ironica sul viso.

«Jane è rimasta sorpresa, eh?» chiese.

«Chi non lo sarebbe stato?»

«E vuole che tutto sia fatto in un certo modo?»

«Sì.» Gli parlai della sua lista di incombenze pri
ma di sottoporgli una mia idea riguardo qualcosa
che, secondo me, Jane aveva trascurato.

Con la mano buona Noah mi accarezzò la gamba
in segno di comprensione.

«E Anna come sta?» chiese.

«Bene. Non credo sia rimasta sorpresa dalla reazione di Jane.»

«E Keith?»

«Anche lui sta bene. Almeno da quanto ci ha detto
Anna.»

Noah annuì. «Sono proprio una bella coppia.
Hanno entrambi buon cuore. Mi ricordano Allie e
me.»

Sorrisi. «Glielo dirò. Tua nipote ne sarà felicissima.»

Restammo seduti in silenzio finché lui indicò l'acqua.

«Lo sapevi che i cigni si uniscono per la vita?»
disse.

«Credevo che fosse soltanto un mito.»

«È vero, invece», insistette Noah. «Allie lo trovava molto romantico. Per lei era la dimostrazione che
l'amore è la forza più grande al mondo. Prima di
sposarci era fidanzata con un altro, lo sapevi, vero?»

Feci cenno di sì.

«Lo immaginavo. Ecco, il giorno in cui venne a trovarmi senza dirlo al suo fidanzato, la portai con la canoa in un posto dove vedemmo centinaia di cigni radunati insieme. Sembrava un mare di neve. Sapevi anche questo?»

Annuii di nuovo. Pur non essendo stato presente, l'immagine era vivida nella mia mente come in quella di Jane. Spesso lei parlava di questa storia con meraviglia.

«Non tornarono mai dopo quella volta», proseguì Noah sottovoce. «Ce n'era sempre qualcuno, ma mai più così tanti tutti insieme.» Si fermò, perso nei ricordi. «Ad Allie però piaceva andare lì lo stesso. Dava da mangiare a quelli rimasti e mi indicava le coppie. 'Eccone una, e là un'altra', diceva. 'Non è meraviglioso che restino insieme per sempre?'» Il viso gli si illuminò di un sorriso rugoso. «Credo fosse il suo modo di ricordarmi di rimanere fedele.»

«Non penso che dovesse preoccuparsi di questo.»

«No?» ribatté lui.

«Secondo me, tu e Allie eravate fatti l'uno per l'altra.»

Sorrise mestamente. ‹Sì›, disse dopo una breve pausa, «era così. Ma dovemmo impegnarci. Anche noi passammo i nostri momenti difficili.»

Forse si riferiva all'Alzheimer, pensai. E, prima, alla morte di uno dei loro figli. C'erano stati anche altri problemi, ma quelli erano gli eventi di cui ancora faticava a parlare.

«Però tu hai fatto sembrare tutto sempre molto facile», protestai.

Noah scrollò la testa. «Non lo fu. Non sempre. Le lettere che le scrivevo erano un modo per ricordarle non solo quello che provavo per lei, ma anche il giuramento che ci eravamo scambiati.»

Mi chiesi se volesse rammentarmi di quando mi aveva suggerito di fare lo stesso per Jane, ma non affrontai l'argomento. Invece, gli posi la domanda che più mi premeva.

«Fu dura per te e Allie dopo che i figli se ne andarono di casa?»

Noah rimase un istante a riflettere prima di rispondere. «Non so se l'aggettivo sia quello giusto, di sicuro fu tutto diverso.»

«In che senso?»

«Tanto per cominciare, la calma. La casa diventò di colpo silenziosa. Con Allie che dipingeva nel suo studio, c'ero rimasto soltanto io a girare per le stanze. Fu allora che presi l'abitudine di parlare da solo, per farmi compagnia, sai.»

«E qual era la reazione di Allie all'assenza dei figli?»

«Uguale alla mia, almeno all'inizio», rispose. «I ragazzi erano stati per lungo tempo tutta la nostra vita, ed entrambi avemmo bisogno di un periodo di adattamento. Una volta ritrovato l'equilibrio, tuttavia, credo abbia apprezzato il fatto che noi due eravamo di nuovo soli.»

«E quanto ci volle?»

«Non so. Forse un paio di settimane.»

Insaccai le spalle. *Un paio di settimane?*

Noah notò la mia espressione e si schiarì la gola. «Adesso che ci penso, sono sicuro che ci volle meno», disse. «Credo che Allie abbia impiegato solo qualche giorno a tornare quella di prima.»

Qualche giorno? A questo punto non manifestai alcuna reazione.

Lui si portò la mano sul mento. «Anzi, se non ricordo male, non passò nemmeno qualche giorno», incalzò. «Ci mettemmo a ballare il tip tap davanti a casa subito dopo aver finito di caricare in macchina le cose di David. Ti confesso, però, che i primi minuti furono duri. Durissimi. A volte mi domando come abbiamo fatto a superarli.»

La sua espressione era serissima, ma scorsi un lampo malizioso nei suoi occhi.

«Il tip tap?»

«È un ballo.»

«Lo so.»

«Era molto in voga.»

«Sì, ma tanto tempo fa.»

«Come? Non si balla più il tip tap?»

«È un'arte perduta, Noah.»

Mi diede un colpetto con il gomito. «Ci hai creduto, vero?»

«Un po'», ammisi.

Lui ammiccò. «Te l'ho fatta.»

Per un po' rimase seduto in silenzio, con aria compiaciuta. Poi, sapendo di non aver risposto veramente alla mia domanda, si spostò sulla pànca e fece un profondo sospiro.

«Fu difficile per entrambi, Wilson. Ormai loro non erano più soltanto i nostri figli, ma erano diventati anche i nostri amici. Ci sentivamo molto soli, disorientati persino su come comportarci a vicenda.»

«Non ne avevi mai parlato.»

«Non me l'avevi mai chiesto», ribatté. «Sentivamo entrambi la loro mancanza, ma era Allie a soffrire di più. Sarà anche stata una pittrice, ma era prima di tutto e soprattutto una madre, e una volta andati via i figli entrò in crisi. Almeno per un po'.»

Provai a immaginarmela, ma senza riuscirci. Era un'Allie che non conoscevo.

«Perché succede?» domandai allora.

Invece di rispondermi, Noah guardò il vuoto oltre le mie spalle. «Ti ho mai parlato di Gus?» chiese infine. «Quello che veniva a trovarmi mentre mettevo a posto la casa?»

Annuii. Gus era un parente di Harvey, l'uomo di colore che mi capitava di vedere quando gironzolavo nella proprietà di Noah.

«A volte la sera io e il mio vecchio amico ci sedevamo nel portico e facevamo a gara a chi raccontava la storia più divertente. Negli anni ne sono saltate fuori di carine, ma sai qual è la mia preferita? Prima che te la dica, devo informarti che Gus era stato sposato con la stessa donna per mezzo secolo e che avevano otto figli. Lui e la moglie ne avevano passate praticamente di tutti colori, insieme. Be', quella volta ne avevamo sparate di grosse, quando a un certo punto mi fa: 'Senti questa'. Mi guarda dritto negli occhi con aria seria, e dice: 'Noah, io capisco le donne'.»

Al ricordo, mio suocero ridacchiò di gusto. «Il fatto», proseguì, «è che non esiste al mondo un uomo in grado di affermare una cosa del genere. Non è possibile, punto e basta, quindi non vale nemmeno la pena tentarci. Questo però non significa che sia impossibile amarle. O smettere di impegnarsi per far capire loro quanto siano importanti.»

Rimasi a riflettere sulle sue parole, mentre il cigno nel laghetto si sgranchiva le ali e poi tornava a chiuderle. Questo era il modo in cui Noah mi parlava di Jane l'anno scorso. Non mi offrì mai un consiglio specifico, non mi suggerì mai che cosa fare. Ma nel contempo si rendeva perfettamente conto del mio bisogno di sostegno.

«Forse Jane vorrebbe che ti somigliassi un po' di più», dissi.

Noah rise. «Non preoccuparti, Wilson. Te la stai cavando bene così come sei.»

Quando rincasai trovai la casa immersa nel silenzio, rotto soltanto dal ticchettio dell'orologio del nonno e dal ronzio del condizionatore. Posai le chiavi sullo scrittoio in soggiorno e mi misi a osservare i ripiani ai lati del caminetto. Erano pieni di foto di famiglia: noi cinque in jeans l'estate di due anni prima, un'altra con i ragazzi sulla spiaggia vicino a Fort Macon, altre ancora che risalivano a quand'erano bambini, o addirittura neonati. Poi c'erano quelle fatte da mia moglie: Anna con il vestito della festa alla consegna del diploma; Leslie con il completo da ragazza pompon; Joseph con il nostro cane, Sandy, scomparso qualche anno prima.

Al centro, proprio sopra il caminetto, era posato un ritratto in bianco e nero scattato il giorno del nostro matrimonio. Era stata Allie a farci mettere in posa sulla scalinata del municipio. Si trattava di un'immagine ben riuscita, e sebbene Jane fosse sempre stata bella, quella volta l'obiettivo era stato gentile anche con me. Vi apparivo proprio come speravo di essere quando le stavo accanto.

Stranamente, sulle mensole non c'erano altre foto di noi due in coppia. Negli album erano conservate decine di istantanee scattate dai nostri figli, ma nessuna aveva ricevuto l'onore di essere incorniciata. Mia moglie aveva proposto ripetutamente di farci fare un altro ritratto, ma il suo suggerimento era immancabilmente caduto nel vuoto. Quella sera mi chiesi come mai non ne avessi trovato il tempo, e se ciò avesse o meno un significato per il nostro futuro.

Dopo la mia conversazione con Noah, rimasi a riflettere sugli anni trascorsi da quando i figli se n'erano andati di casa. Avrei potuto essere un marito migliore? Senza dubbio, sì. Eppure, ripensandoci adesso, credo che il periodo in cui trascurai veramente Jane fu nei mesi successivi alla partenza di Leslie per il college, anche se lo feci del tutto inconsapevolmente. Ora ricordo che mia moglie all'epoca era silenziosa e anche un po' giù di morale: passava il tempo a guardare fuori dalla finestra o a mettere ordine distrattamente nelle scatole che contenevano le cianfrusaglie dei ragazzi. Tuttavia quello fu un anno particolarmente impegnativo per me in ufficio: il vecchio Ambry aveva avuto un infarto ed era stato costretto a ridurre drasticamente la mole di lavoro, passandomi molte delle sue pratiche. Anch'io ero spesso stanco e preoccupato dalle crescenti responsabilità.

Così, quando Jane decise improvvisamente di rinnovare l'arredamento, lo interpretai come un buon segno. Ero convinto che quell'impegno l'avrebbe distratta. Comparvero allora in casa divani in pelle al posto di quelli in stoffa, tavolini in legno di ciliegio, lampade di ottone. In soggiorno fu cambiata la tappezzeria e arrivò un tavolo abbastanza grande da ospitare i nostri figli e le loro future famiglie. Indubbiamente lei aveva fatto un ottimo lavoro, ma devo ammettere che a volte trasalivo di fronte alle fatture che arrivavano, anche se mi guardavo bene dal formulare qualsiasi commento.

Una volta finito quel turbine di novità, tuttavia, cominciammo a notare entrambi una certa goffaggine nel nostro matrimonio, uno strano disagio che non nasceva dal nido vuoto, ma dal tipo di coppia che eravamo diventati. Nessuno dei due, però, ne parlò apertamente, quasi temessimo che, pronunciando quelle parole, le avremmo rese permanenti, con tutte le eventuali conseguenze.

Devo aggiungere che questo fu anche uno dei motivi per cui non cercammo alcun aiuto esterno. E poi, consideratemi pure antiquato, ma non mi andava l'idea di parlare dei fatti nostri con altri. Sapevo già che cosa ci avrebbe detto uno psicologo. No, la causa non era la partenza dei figli, né la dilatazione del tempo libero per Jane. Quelli erano semplici catalizzatori, che avevano amplificato situazioni preesistenti.

Insomma, che cosa ci aveva condotto a quel punto?

Per quanto mi addolori ammetterlo, suppongo che il nostro vero problema sia stato nient'altro che la negligenza, soprattutto da parte mia. Oltre ad aver spesso anteposto la carriera alle necessità della famiglia, ho sempre dato per scontata la stabilità del matrimonio, e Dio solo sa se ero tipo da occuparmi delle piccole incombenze domestiche, come invece faceva Noah, per esempio. Quando mi capitava di rifletterci – il che non accadeva spesso – mi tranquillizzavo dicendomi che lei aveva sempre saputo che genere di uomo sono, e tanto mi bastava.

Con il tempo, però, ho capito che l'amore non è qualche parolina dolce mormorata a fior di labbra prima di addormentarsi. L'amore si nutre di gesti concreti, di dimostrazioni di devozione nelle cose che facciamo giorno per giorno.

Quella sera, guardando la fotografia del matrimonio realizzai che trent'anni di involontaria trascuratezza avevano trasformato il mio amore in una bugia, e che alla fine era arrivato il conto da pagare. Ormai eravamo sposati solo di nome, non di fatto. Da almeno sei mesi non condividevamo più l'intimità fisica e i pochi baci che ci scambiavamo non avevano un vero significato per nessuno dei due. Stavo morendo dentro, soffrivo per tutto quello che avevamo perduto e, davanti al nostro ritratto di nozze, mi maledissi perché avevo permesso che accadesse.

Cinque

Nonostante il caldo, trascorsi il resto del pomeriggio a strappare erbacce in giardino, poi mi feci la doccia e uscii per andare al supermercato. Era sabato, era il mio turno in cucina e avevo deciso di provare una nuova ricetta a base di funghi. Avrei cucinato anche delle fettine di vitello accompagnate da un'insalata.

Alle cinque mi misi all'opera e nel giro di mezzora l'antipasto era praticamente pronto: crostini ai funghi con formaggio e salsiccia gratinati al forno. Avevo appena finito di apparecchiare e stavo stappando una bottiglia di Merlot, quando udii Jane entrare in casa.

«Ciao», la sentii chiamare.

«Sono in sala da pranzo», urlai di rimando.

Guardandola inquadrata dalla porta, rimasi come sempre colpito dal suo aspetto. Mentre sulla mia testa i capelli sempre più radi si sono tinti di grigio, i suoi sono ancora scuri e folti come il giorno delle nozze. Si era scostata qualche ciocca dietro l'orecchio, mettendo in mostra il girocollo con il piccolo diamante che anni prima le avevo regalato. Nonostante tutto, posso dire di non essermi mai abituato alla sua bellezza.

«Wow», esclamò. «Che profumino! Cosa c'è per cena?»

«Vitello al marsala», annunciai versandole un bicchiere di vino. Esaminando il suo viso mi accorsi che l'ansia della sera prima era stata sostituita da un'esaltazione che non vedevo in lei da tempo. Era chiaro che i giri in città con Anna erano stati soddisfacenti, e a quel punto feci un sospiro di sollievo.

«Sapessi che cosa è successo oggi», dichiarò. «Non ci crederai nemmeno dopo che te l'avrò raccontato.»

Mi afferrò un braccio per tenersi in equilibrio mentre si sfilava le scarpe e continuai a percepire il calore della sua mano anche dopo che si fu allontanata.

«Dimmi tutto», la spronai.

Lei prese il bicchiere e lo agitò in aria con entusiasmo. «Vieni», disse, «andiamo in cucina a parlare. Muoio di fame. Abbiamo avuto così tanto da fare che non c'è stato tempo per fermarsi a mangiare un boccone. A proposito, grazie di aver preparato la cena, mi ero completamente dimenticata che stasera toccava a te e stavo già pensando di ordinare qualcosa di pronto.»

La seguii docilmente in cucina, contemplando con

piacere il sinuoso movimento dei suoi fianchi mentre camminava.

«Credo che ora Anna cominci a entusiasmarsi. Era molto più coinvolta di ieri sera.» Si girò a guardarmi da sopra la spalla con occhi accesi. «Ma aspetta di sentire il resto.»

Il bancone era ingombro dei piatti che avevo preparato. Mi infilai un guanto per togliere i crostini dal forno.

«Ecco fatto», annunciai posando la teglia sui fornelli.

Lei mi guardò sorpresa. «È già pronto?»

«Tutta questione di tempismo», mi schermii.

Jane afferrò con la punta delle dita un crostino caldo e gli diede un morso.

«Allora, stamattina sono andata a prenderla... mmmm, è buonissimo.» Ne mangiò un altro boccone, assaporandolo con gusto, poi proseguì: «Per prima cosa, abbiamo parlato del fotografo... temevo che non ne avremmo trovato nessuno libero con un preavviso tanto breve. Così, ieri notte mi è venuto in mente il figlio di Claire: sta frequentando un corso di fotografia al Carteret Community College e, dopo il diploma, vuole diventare professionista. Anna però non era convinta, allora le ho proposto di chiedere a qualche suo collega al giornale, ma lei mi ha detto che la direzione non incoraggia questo genere di lavori in proprio. Comunque, per farla breve, ha voluto passare da tutti gli studi fotografici del centro nella remota speranza che ci fosse qualcuno disponibile. Non indovinerai mai che cosa è successo.»

«Non vedo l'ora di saperlo.»

Jane si infilò in bocca l'ultimo pezzo di crostino per lasciarmi sulle spine. Con la punta delle dita unte ne prese un altro.

«Sono proprio buoni», esclamò. «È una nuova ricetta?»

«Sì.»

«È complicata?»

«Non direi», risposi con nonchalance.

Fece un profondo respiro. «Come pensavo, i primi due fotografi erano già impegnati. Poi siamo andate allo studio di Jim Cayton. Hai mai visto i suoi servizi fotografici di nozze?»

«Ho sentito dire che è il migliore.»

«È fantastico. Le sue foto sono stupefacenti. Anche ad Anna sono piaciute, sai. È stato lui a fare il servizio per il matrimonio di Dana Crowe, ricordi? In genere bisogna prenotarlo con sei mesi di anticipo e anche così è difficile accaparrarselo. Voglio dire, non avevamo speranze, no? Ma quando ho chiesto alla moglie – è lei a dirigere lo studio – mi ha detto che avevano appena avuto una disdetta.»

Mangiò un altro boccone, masticando lentamente.

«E così è saltato fuori», annunciò poi con una civettuola scrollata di spalle, «che sarà libero proprio sabato prossimo.»

«È meraviglioso», dissi.

«Non immagini nemmeno quanto sia contenta

Anna. Abbiamo passato un paio d'ore a guardare gli album, tanto per vedere se ci veniva qualche idea. Sono sicura che la signora Cayton deve averci preso per pazze. Comunque, è stata così gentile da rispondere a tutte le nostre domande. Quando siamo uscite dallo studio, ci siamo date un pizzicotto perché non credevamo alla nostra fortuna.»

«Capisco.»

«Poi», proseguì lei in tono vivace, «siamo passate alle pasticcerie. Anche qui ci sono voluti un paio di tentativi, ma alla fine abbiamo trovato un piccolo laboratorio con catalogo intero dedicato esclusivamente alle torte nuziali. Ce ne sono di grandi e di piccole e di tutte le misure intermedie. E poi bisogna decidere il gusto, la glassa, la forma, le decorazioni e tutto il resto...»

«Dev'essere stato divertente», commentai.

Lei alzò gli occhi al cielo. «Molto», esclamò ridendo felice.

Non capita spesso che le stelle siano allineate, ma quella volta sembrava fosse così. Il suo buonumore era contagioso, la serata frizzante e noi due in procinto di gustare insieme una cenetta romantica. Ogni pezzo sembrava essere tornato al suo posto, mi dissi mentre guardavo ammirato la bella donna che era mia moglie da tre decenni.

Intanto che finivo di cucinare, Jane mi ragguagliò sul resto della sua giornata, fornendomi ulteriori dettagli sulla torta (due strati, alla vaniglia, glassa di panna acida) e le foto (Cayton ritoccava le imperfezioni al computer). Alla luce calda della cucina, scorgevo appena le rughe sottili agli angoli dei suoi occhi, segni del tempo trascorso insieme.

«Sono contento che sia andato tutto bene», dissi. «E considerato che era la vostra prima giornata dedicata ai preparativi, avete ottenuto ottimi risultati.»

Nella padella, le fettine di vitello cominciarono a rosolare.

«Lo so. E ne sono davvero felice», rispose lei, «però ancora non abbiamo deciso dove si terrà la cerimonia. Ho detto ad Anna che, se voleva, potevamo celebrare il matrimonio qui da noi, ma l'idea non l'entusiasma più di tanto.»

«E che cosa vorrebbe?»

«Pensa che forse le piacerebbe una cerimonia all'aperto. In qualche posto non troppo elegante.»

«Non dovrebbe essere difficile trovarlo.»

«Non ne sono così sicura. L'unico che mi è venuto in mente è il *Tryon Palace*, ma forse bisognava prenotare prima. Non so nemmeno se organizzano matrimoni.»

«Mmmm....» Aggiunsi nella padella sale, pepe e aglio in polvere.

«Anche la *Orton Plantation* non è male, ricordi? Ci siamo andati l'anno scorso per le nozze dei Bratton.»

Calcolai che era a due ore di macchina da New Bern. «Non trovi che sia un po' fuori mano?» obiettai. «La maggior parte dei nostri invitati abita da queste parti.»

«Lo so, era solo un'idea. Tanto comunque non ci sarà posto.»

«Hai pensato a qualche locanda qui in città?»

Lei scrollò il capo. «Temo che siano tutte troppo piccole, e non so quante dispongano di un giardino, ma magari potrei andare a sentire. E poi... be', comunque ci verrà in mente qualcosa. Almeno lo spero.»

Si accigliò, assorta nei suoi pensieri. Si appoggiò al bancone e piegò una gamba posando il piede contro l'armadietto alle sue spalle, in tutto e per tutto uguale alla ragazza che un giorno lontano avevo accompagnato alla macchina. La seconda volta che lo feci, anziché salire subito in auto aveva preso quella posa appoggiandosi contro la portiera, e allora avevamo avuto quella che considero la nostra prima conversazione. Ricordo che ammirai la vivacità delle sue espressioni mentre mi raccontava dell'infanzia a New Bern, e fu allora che intuii in lei le qualità che avrei sempre apprezzato: l'intelligenza e la passione, il fascino e la serenità con cui guardava al mondo.

«Oggi sono stato a trovare Noah», dissi, interrompendo le sue riflessioni.

A quelle parole, Jane tornò subito al presente. «Come sta?»

«Bene. Aveva l'aria stanca, ma era di ottimo umore.»

«Stava di nuovo seduto là al laghetto?»

«Sì», risposi, e anticipando la sua domanda successiva aggiunsi: «C'era anche il cigno».

Lei strinse le labbra e, non volendo rovinarle il buonumore, mi affrettai a proseguire.

«Gli ho detto del matrimonio.»

«Come l'ha presa? Era contento?»

«Molto. Non vede l'ora di partecipare.»

Jane unì le mani. «Passerò a trovarlo domani con Anna. La settimana scorsa lei non ha avuto modo di vederlo, e so che vuole dirglielo di persona.» Sorrise riconoscente. «Ti ringrazio di essere andato a fargli compagnia, oggi. So che per lui significa molto.»

«A me piace passare il tempo con Noah.»

«Sì, ma grazie comunque.»

La carne era cotta, perciò aggiunsi gli altri ingredienti: marsala, succo di limone, funghi, brodo, scalogno tritato e cipolle affettate. Misi anche un'altra noce di burro. Potevo permettermelo: avevo perso dieci chili nell'ultimo anno.

«Hai già parlato con Leslie e Joseph?» chiesi.

Per qualche attimo lei rimase a guardarmi in silenzio mentre mescolavo la carne nella padella. Poi prese un cucchiaio dal cassetto e assaggiò il sughetto. «È buono», commentò.

«Sembri sorpresa.»

«No, niente affatto. Sei diventato davvero bravo a cucinare. Almeno a paragone dei primi tempi.»

«Che cosa? Non ti piacevano le mie specialità?»

Lei si portò un dito al mento. «Intendi il purè bruciato e il semolino con i grumi?»

83

Sorrisi, sapendo che diceva la verità. I miei primi esperimenti in cucina erano stati tutt'altro che sfavillanti.

Jane posò il cucchiaio sul bancone.

«Wilson, a proposito del matrimonio...» cominciò.

La guardai. «Sì?»

«Sai che costerà parecchio trovare un biglietto aereo all'ultimo momento per Joseph, vero?»

«Certo.»

«E il fotografo... non sarà una spesa da poco.»

«Lo immaginavo.»

«E anche la torta è costosa. Per un dolce, voglio dire.»

«Non c'è problema. Dopo tutto ci saranno molti invitati, giusto?»

Mi guardò incuriosita, chiaramente spiazzata dalle mie risposte. «Sai... volevo avvisarti in anticipo, in modo che non restassi troppo sconvolto.»

«E come potrei?»

«Be', a volte ti metti a brontolare quando le spese cominciano a salire troppo.»

«Davvero?»

Jane mi fissò severa. «Sii sincero con me. Non ricordi la tua reazione di fronte alle spese per la ristrutturazione? O quella volta che si ruppe la caldaia? Ti trattieni persino quando si tratta di comperarti delle scarpe nuove...»

Alzai le mani in una finta resa. «Ho capito, ti sei spiegata chiaramente», dissi. «Ma non preoccuparti, stavolta è diverso.» La guardai negli occhi, sicuro che a quel punto avevo catturato la sua attenzione. «Anche se spendessimo tutti i nostri risparmi, ne varrebbe la pena.»

Lei rischiò di farsi andare di traverso il vino che stava bevendo. Poi fece un passo verso di me e mi diede un pizzicotto sul braccio.

«Che succede?» chiesi.

«Volevo solo accertarmi che fossi davvero mio marito, e che non eri stato sostituito da un uomo baccello.»

«Uomo baccello?»

«Sì. Hai presente il film *L'invasione degli ultracorpi*?»

«Certo. Ma ti assicuro che sono proprio io.»

«Grazie al cielo», replicò lei con finto sollievo. E poi, miracolo dei miracoli, mi strizzò l'occhio. «Comunque volevo che fossi preparato.»

Sorrisi, con la sensazione di aver appena ricevuto un'iniezione di energia al cuore. Da quanto tempo non ridevamo e non scherzavamo così in cucina? Mesi? Anni? Certo, poteva essere effimero, ma bastò ad alimentare la fiammella di speranza che avevo cominciato a nutrire in segreto.

Il nostro primo appuntamento non andò esattamente come avevo previsto.

Avevo prenotato da *Harper's*, che era considerato il migliore ristorante della città. E il più costoso.

Avevo soldi sufficienti per pagare la cena, anche se poi avrei dovuto tirare la cinghia per il resto del mese. Comunque, avevo organizzato una serata speciale.

Passai a prenderla davanti al dormitorio della sua scuola. Com'era prevedibile, il dialogo in macchina si mantenne a un livello superficiale. Parlammo dei nostri studi e di quanto facesse freddo. Ricordo che le feci i complimenti per il maglione che indossava, e lei mi rispose che l'aveva comperato il giorno prima.

C'era in giro molta gente per gli acquisti natalizi: era difficile trovare parcheggio vicino al ristorante, così posteggiammo a un paio di isolati di distanza. Mentre camminavamo vicini la punta del naso ci si era arrossata e il respiro si condensava in nuvolette di vapore. Alcune vetrine erano addobbate con luci intermittenti e, passando davanti a una pizzeria, sentimmo una musica natalizia che proveniva dal juke-box all'interno.

Eravamo quasi arrivati a destinazione, quando scorgemmo un cane. Stava accucciato in un vicolo ed era di taglia media, tutto pelle e ossa e coperto di fango. Mi misi tra Jane e l'animale, nel caso si fosse rivelato aggressivo, ma lei mi superò e gli si accovacciò vicino.

«Non aver paura», mormorò. «Non ti faremo del male.»

Il cane cercò di rifugiarsi nell'ombra.

«Ha il collare», osservò Jane. «Scommetto che si è

perso.» Continuava a fissare l'animale, che sembrava a sua volta studiarla con circospezione.

Guardai l'orologio, stava diventando tardi per la nostra prenotazione. Comunque, mi chinai e cominciai a rivolgermi al cane con lo stesso tono rassicurante di Jane. Ma l'animale non si mosse e, quando lei cercò di avvicinarsi ancora, guaì e indietreggiò.

«Ha paura», constatò con aria preoccupata. «Che cosa dobbiamo fare? Non possiamo lasciarlo qui. Stanotte la temperatura scenderà sottozero. E se si è perso, sono sicura che tutto quello che vuole è tornare a casa.»

Potevo risponderle che era ora di andare, suggerirle di chiamare il canile, o magari tornare dopo cena per vedere se era ancora lì. Ma la sua espressione mi bloccò. Era un misto di ansia e sfida: il primo segnale che ebbi della sua bontà d'animo e della sua sollecitudine nei confronti delle creature meno fortunate. Capii allora che non avevo scampo.

«Provo io», dissi.

In tutta sincerità, non sapevo bene che cosa fare. Da piccolo non avevo mai avuto un cane perché mia madre era allergica, però allungai il braccio e continuai a parlargli con dolcezza, ispirandomi a ciò che avevo visto fare in situazioni analoghe nei film.

Lasciai che si abituasse alla mia voce e, quando mi avvicinai piano piano, lui rimase dov'era. Non volevo spaventarlo, così mi fermai un momento, poi avanzai di nuovo. Dopo quella che parve un'eternità, il cane protese timidamente il muso per annusarmi la mano. Poi, decidendo che non aveva niente da temere, tirò fuori la lingua e mi leccò le dita. Un attimo dopo gli accarezzavo la testa, e allora mi girai a guardare Jane.

«Gli piaci», disse lei con aria stupita.

Scrollai le spalle. «Pare di sì.»

Riuscii a leggere il numero di telefono sulla targhetta e Jane andò in una cabina all'angolo per telefonare al proprietario. Mentre era via, rimasi con il cane e notai che, più lo accarezzavo, più sembrava desiderare il contatto con la mia mano. Quando lei tornò, restammo lì altri venti minuti in attesa che venissero a prenderlo. Il proprietario era un uomo sulla trentina, che balzò fuori dalla macchina e si precipitò verso l'animale. Il cane gli andò incontro scodinzolando felice e gli fece le feste.

«Vi ringrazio di cuore per avermi telefonato», ci disse riconoscente. «Era scomparso da una settimana e mio figlio piangeva tutte le sere. Nella letterina a Babbo Natale aveva espresso l'unico desiderio di ritrovare il suo cane.»

Ci offrì una ricompensa, ma né io né Jane volemmo accettarla, allora lui ci ringraziò di nuovo e risalì in macchina. Mentre lo guardavamo allontanarsi, sentimmo entrambi di aver fatto qualcosa di speciale. Jane mi prese sottobraccio.

«Siamo ancora in tempo per andare al ristorante?» mi chiese.

«Be', abbiamo un ritardo di mezzora sulla prenotazione», risposi.

«Dovrebbero averci tenuto il tavolo, però.»

«Non so. Non è stato facile ottenerlo. Ho dovuto chiedere a uno dei miei professori di telefonare personalmente.»

«Magari saremo fortunati.»

Non fu così. Quando arrivammo al ristorante, il nostro posto era già stato ceduto ad altri e fino alle dieci meno un quarto non c'erano tavoli liberi. Jane mi guardò.

«Almeno abbiamo fatto felice un bambino», disse.

«Lo so.» Tirai un profondo respiro. «E lo rifarei.»

Lei mi guardò per un istante, poi mi strinse il braccio. «Sono contenta che ci siamo fermati con il cane, anche se abbiamo perso la cena qui.»

Circondata dall'alone del lampione, la sua figura aveva un che di etereo.

«Vuoi andare in qualche altro posto?» le domandai.

Lei piegò la testa di lato. «Ti piace la musica?»

Dieci minuti più tardi eravamo seduti nella pizzeria che avevamo oltrepassato prima. Sebbene avessi previsto una cenetta raffinata a lume di candela, finimmo per ordinare pizza e birra.

Jane, però, sembrava tutt'altro che delusa. Chiacchierava con vivacità, parlandomi delle sue lezioni di mitologia greca e di letteratura inglese, dei suoi anni alla Meredith, delle sue amicizie e di tutto quello che le passava per la mente. Io mi limitavo ad annuire e a farle di tanto in tanto qualche domanda che la stuzzicasse a proseguire, mentre mi godevo la sua compagnia.

In cucina mi accorsi che Jane mi stava guardando in modo strano. Scacciai i ricordi dalla mente, diedi gli ultimi ritocchi prima di servire il vitello e mi risedetti a tavola.

«Tutto a posto? Mi sembravi preoccupato qualche minuto fa», mi domandò Jane mentre prendeva l'insalata.

Versai il vino nei bicchieri. «Veramente stavo ripensando al nostro primo appuntamento.»

«Davvero?» Rimase con la forchetta a mezz'aria. «E perché?»

«Non lo so.» Le passai il bicchiere pieno. «Tu te lo ricordi?»

«Ma certo», mi rimproverò lei. «Fu poco prima che iniziassero le vacanze di Natale. Dovevamo andare a cena da *Harber's*, ma trovammo per strada un cagnolino e finimmo per mangiare in una pizzeria poco distante. E poi...»

Strizzò gli occhi, cercando di ricostruire l'esatta sequenza degli avvenimenti.

«Andammo a vedere gli addobbi natalizi in Havermill Road, giusto? Tu volevi a tutti i costi passeggiare, anche se faceva un gran freddo. A un certo punto, però, un uomo vestito da Babbo Natale mi porse il regalo che mi avevi comperato Ricordo di essere rimasta stupita che ti fossi dato tanto da fare per il nostro primo appuntamento.»

«E ricordi anche che cosa ti regalai?»

«Come potrei dimenticarmelo?» esclamò ridacchiando. «Era un ombrello.»

«Se non sbaglio, non ne fosti troppo entusiasta.»

«Be', così al bar non avrei più avuto una scusa per abbordare altri ragazzi», replicò lei maliziosa. «Farmi accompagnare alla macchina quando pioveva era la mia strategia vincente, all'epoca. Sai, gli unici maschi che frequentassero la mia scuola erano insegnanti o bidelli.»

«Ti ho regalato l'ombrello proprio perché sapevo come operavi», dissi.

«Ma fammi il piacere», sbuffò. «Ero la prima ragazza con cui uscivi.»

«Non è vero, avevo già avuto altri appuntamenti.»

I suoi occhi lampeggiarono scherzosi. «D'accordo, allora la prima che baciavi.»

Questo era vero, anche se mi sono pentito di averglielo detto, perché lei non se l'è più scordato e tende a tirarlo fuori in momenti simili. Comunque, mi difesi con foga: «Ero troppo impegnato a costruirmi un futuro. Non avevo tempo per certe sciocchezze».

«Eri timido.»

«Ero studioso. È diverso.»

«In effetti, in macchina e durante la cena parlasti quasi esclusivamente delle tue lezioni.»

«Falso», ribattei. «Ti dissi anche che mi piaceva il tuo maglione, ricordi?»

91

«Non conta.» Lei ammiccò. «La tua fortuna è stata trovare una ragazza paziente come me.»

«È vero.»

Lo dissi in tono sincero, e lei se ne accorse. Mi rivolse un breve sorriso.

«Sai che cosa mi è rimasto più impresso di quella serata?» continuai.

«Il mio maglione?»

Devo riconoscere che Jane ha sempre avuto la battuta pronta. Risi, ma era chiaro che io mi trovavo in uno stato d'animo molto più riflessivo. «Mi è piaciuto il fatto che ti sei fermata ad aiutare quel cane finché non sei stata certa che fosse al sicuro. Mi fece capire che hai un gran cuore.»

Avrei giurato che questo complimento l'avrebbe fatta arrossire, ma lei si affrettò ad alzare il bicchiere, così non ne fui sicuro. Decisi di cambiare argomento.

«Allora, Anna è nervosa?» chiesi.

«Per niente. Non sembra minimamente preoccupata. È convinta che andrà tutto benissimo, come è successo oggi con le foto e la torta. Stamattina, quando le ho mostrato l'elenco delle mille cose da fare, si è limitata a dire: 'Allora sarà meglio cominciare subito, no?'»

Annuii. Era tipico di Anna.

«E quel suo amico, il pastore?» mi informai.

«Lo ha chiamato ieri sera e lui ha accettato volentieri.»

«Bene», dissi. «Una preoccupazione in meno.»

«Mmmm.» Jane rimase in silenzio per un po'. La sua mente era già rivolta agli altri preparativi rimasti in sospeso.

«Mi sa che avrò bisogno del tuo aiuto», disse infine.

«Perché?»

«Vedi, ci sarà bisogno di uno smoking per te, Keith e Joseph. E anche per papà...»

«Non c'è problema.»

Si agitò sulla sedia. «Anna dovra pensare a quali amici vuole invitare. Visto che non ci sarà tempo per spedire degli inviti scritti, qualcuno dovrà farlo per telefono e, dato che lei e io siamo molto impegnate, e tu sei in ferie...»

Alzai le mani. «Sarò felicissimo di occuparmene», dissi. «Comincerò domani stesso.»

«Sai dov'è l'agenda telefonica?»

Questo è il genere di domanda a cui ormai sono abituato. Jane è convinta da tempo che io soffra dell'incapacità costituzionale di trovare gli oggetti in casa nostra. Crede anche che, oltre a non rimettere mai al loro posto le cose, le abbia assegnato il compito di sapere esattamente dove le ho lasciate. Ci tengo però a precisare che se ignoro la collocazione di molti oggetti domestici, ciò deriva da un nostro diverso sistema di archiviazione, non dalla mia inettitudine. Tanto per fare un esempio, mia moglie pensa che la torcia elettrica vada riposta in un cassetto della cucina, mentre per me la sua collocazione naturale sarebbe in lavanderia. Di conseguenza la torcia cambia posto di continuo, e io non riesco a stare sempre al passo con i cambiamenti. Se lascio le chiavi della macchina sul bancone, poi, l'istinto mi suggerisce che le ritroverò lì quando le cercherò, mentre Jane è sicura che andrò a cercarle sul pannello accanto alla porta d'ingresso, e le appende là. Nello specifico, per quanto riguardava la collocazione dell'agenda telefonica, per me era ovvio che fosse nel cassetto sotto il telefono. L'avevo messa lì l'ultima volta che l'avevo usata, e stavo per dirglielo, quando lei mi prevenne.

«È sullo scaffale accanto ai libri di cucina.»

La guardai.

«Ma naturale», risposi.

L'affiatamento tra noi durò per tutta la cena, ma dopo aver sparecchiato lo scambio di battute disinvolto lasciò il posto a una conversazione più stentata, intervallata da lunghe pause. Quando infine venne il momento di rassettare la cucina eravamo tornati al nostro dialogo consueto, nel quale la voce più animata non era una delle nostre, ma l'acciottolio delle stoviglie.

Non riesco a trovare altra spiegazione a questo fenomeno, se non che avevamo esaurito gli argomenti di conversazione. Jane mi chiese nuovamente notizie di Noah e io le ripetei quello che avevo detto prima. Un istante dopo ricominciò a parlare del fotografo, ma si bloccò a metà della storia, ricordando di avermela già raccontata. Dato che nessuno dei due aveva sentito Joseph o Leslie, non avevamo novità su quel fronte. Per quanto riguardava il lavoro, invece, essendo in ferie non avevo niente da dire. Sentivo che l'atmosfera rilassata della serata stava inesorabilmente scivolando via e volevo a tutti i costi evitare che accadesse. La mia mente si mise freneticamente a cercare uno spunto, qualunque cosa.

«Hai sentito dello squalo che ha aggredito una bagnante, giù a Wilmington?» esordii.

«Ti riferisci a quello che è successo la settimana scorsa? A quella povera ragazza?»

«Sì, esatto.»

«Ne abbiamo già parlato.»

«Davvero?»

«Sì, mi hai letto l'articolo sul giornale.»

Lavai a mano i bicchieri, poi sciacquai lo scolapasta. Lei intanto apriva gli armadietti alla ricerca dei contenitori ermetici.

«Che modo orribile di cominciare una vacanza», osservò. «I suoi genitori non avevano nemmeno finito di scaricare i bagagli dall'auto.»

Poi fu la volta dei piatti. Gettai gli avanzi nel lavandino e azionai il tritarifiuti. Il ronzio riecheggiò sui muri, sottolineando il silenzio tra di noi A quel punto misi i piatti nella lavastoviglie.

«Ho strappato un po' di erbacce in giardino», annunciai.

«Mi pareva che lo avessi fatto qualche giorno fa.»

«Infatti.»

95

Caricai le posate e sciacquai quelle da insalata. Aprivo e chiudevo l'acqua e spostavo avanti e indietro il cestello della lavastoviglie.

«Spero che tu non sia stato sotto il sole troppo a lungo», disse lei.

Mio padre era morto d'infarto a sessantun anni mentre lavava la macchina. Nella nostra famiglia soffriamo di malattie cardiache, e sapevo che questo fatto la preoccupava. Anche se negli ultimi tempi eravamo più amici che amanti, ero sicuro che Jane mi sarebbe sempre stata affezionata. L'affetto era parte integrante del suo carattere e lo sarebbe sempre stato.

Anche i suoi fratelli sono uguali, e secondo me questa caratteristica viene da Noah e Allie. Abbracci, baci e risate erano la norma a casa loro, dove tutti si divertivano a farsi scherzi perché nessuno sospettava che ci fosse dietro alcuna cattiveria. Spesso mi sono chiesto che genere di persona sarei diventato, se fossi cresciuto in quella famiglia.

«Le previsioni dicono che domani farà ancora caldo», disse Jane interrompendo il filo dei miei pensieri.

«Ho sentito che le temperature dovrebbero sfiorare i trentacinque gradi», confermai. «E anche il tasso di umidità sarà elevato.»

«Trentacinque gradi?»

«Così pare.»

«Ma è troppo.»

Jane ripose gli avanzi in frigorifero mentre io pulivo il bancone. Dopo il nostro precedente scambio di confidenze, quella mancanza di dialogo era assordante. A giudicare dalla sua espressione, capii che anche lei era in qualche modo delusa dal nostro ritorno alla normalità. Si toccò il vestito, come se cercasse delle parole nelle tasche, poi fece un respiro profondo e si sforzò di sorridere.

«Vado a telefonare a Leslie», disse.

Un attimo dopo mi ritrovai solo in cucina, rimpiangendo di non essere un altro e dubitando che fosse possibile persino provare a ricominciare daccapo tra di noi.

Nelle due settimane successive al nostro primo appuntamento Jane e io ci vedemmo altre cinque volte prima che lei tornasse a New Bern per le vacanze di Natale. In due occasioni studiammo insieme, una sera andammo al cinema e infine passammo un paio di pomeriggi a spasso per il campus della Duke University.

Ma c'è una passeggiata particolare che resterà per sempre impressa nella mia mente. Era una giornata plumbea, aveva piovuto ininterrottamente per tutta la mattina e il cielo era coperto da nubi grigie. Era domenica, due giorni dopo la mancata cena da *Harper's*, e noi stavamo camminando tra i vari edifici del campus.

«Che tipi sono i tuoi genitori?» mi chiese.

Feci qualche passo in silenzio. «Sono brava gente», risposi infine, laconico.

Lei aspettò un seguito, ma vedendo che restavo zitto mi diede un colpetto con la spalla.

«È tutto quello che hai da dire?»

Era il suo modo per cercare di farmi aprire e, sebbene fosse un comportamento che mi metteva a disagio, sapevo già che avrebbe continuato a tormentarmi, con dolcezza e determinazione, finché non l'avessi accontentata. Era molto intelligente, e non solo per quanto riguardava i ragionamenti, ma anche emotivamente.

«Che cosa vuoi sapere?» ribattei. «Sono una tipica coppia di genitori. Lavorano per il governo e hanno sempre vissuto a Washington, dove sono cresciuto. Anni fa avevano pensato di acquistare una casa fuori città, ma poi ci hanno rinunciato perché nessuno dei due voleva fare il pendolare.»

«C'era il giardino a casa tua?»

«No, però c'era un bel cortile, e a volte spuntava qualche filo d'erba tra le mattonelle.»

Lei rise. «Dove si sono conosciuti i tuoi genitori?»

«A Washington. Sono nati entrambi lì e si sono incontrati quando lavoravano per il ministero dei Trasporti. Per un certo periodo sono stati nello stesso ufficio, ma non so altro. Non mi hanno mai raccontato molto.»

«Hanno qualche hobby?»

Considerai la domanda mentre rivedevo mentalmente i miei. «Alla mamma piace scrivere lettere al

Washington Post», risposi. «Credo che voglia cambiare il mondo. Prende sempre le parti dei derelitti e, ovviamente, non le mancano mai le idee su come migliorare la società. Spedisce in media una lettera a settimana, poi ritaglia quelle che vengono pubblicate e le incolla in un album. E mio padre... è un tipo tranquillo. Gli piacciono le navi in bottiglia. Ne avrà costruite un centinaio nel corso degli anni e, ora che non abbiamo più spazio in casa, le regala a scuole e biblioteche. I bambini sono molto contenti.»

«Anche tu lo fai?»

«No. È il passatempo di papà. Non ha mai cercato di insegnarmelo perché pensava che anch'io dovessi trovare un mio hobby personale. Però mi permetteva di guardarlo lavorare, a patto che non toccassi niente.»

«Che tristezza.»

«A me non importava», ribattei. «Era normale così, ed era molto interessante. Niente di movimentato, ma istruttivo. Non parlava molto mentre costruiva i suoi modellini, però era bello stargli accanto.»

«Giocava con te? Ti portava in bicicletta?»

«No. Non gli piaceva la vita all'aria aperta. Solo le navi. Mi ha insegnato la virtù della pazienza.»

Mentre camminava Jane abbassò lo sguardo a terra e capii che stava confrontando le nostre due infanzie.

«E sei figlio unico?» proseguì.

Non lo avevo mai detto a nessuno, ma scoprii che con lei desideravo confidarmi. Già allora volevo che mi conoscesse, che sapesse tutto di me. «Dopo di me la mamma non poté più avere figli. Aveva avuto una grave emorragia durante il parto ed era troppo rischioso ritentarci.»

«Mi spiace», disse Jane seria.

«Credo che spiacesse anche a lei.»

A quel punto avevamo raggiunto la cappella del campus e ci fermammo qualche istante ad ammirarne l'architettura.

«Questa è la prima volta che mi dici tante cose di te tutte in una volta», osservò lei.

«Forse è la prima volta che ne parlo in assoluto.»

Con la coda dell'occhio, la vidi scostarsi una ciocca di capelli dal viso. «Adesso credo di capirti un po' meglio», commentò.

Esitai. «Ed è positivo?»

Restando in silenzio, Jane si girò verso di me, e di colpo ebbi la certezza di conoscere la risposta.

Probabilmente dovrei ricordare esattamente come accadde, ma so solo che un attimo prima la prendevo per mano e quello dopo la tiravo dolcemente a me. Lei mi guardava un po' sconcertata, ma quando vide che avvicinavo il viso al suo chiuse gli occhi, accettando quello che stavo per fare. Si abbandonò contro il mio corpo e fu allora che le nostre labbra si toccarono per la prima volta.

Sentendo Jane parlare al telefono con Leslie, mi dissi che era ancora la stessa ragazza con cui avevo passeggiato nel campus. Aveva un tono di voce animato, le parole le uscivano fluide e la sua risata riempiva la stanza come se la figlia fosse lì davanti a lei.

Mi misi a sedere sul divano, ascoltando distrattamente. Un tempo noi due camminavamo e parlavamo per ore, ma adesso sembrava che altri avessero preso il mio posto. Con i ragazzi Jane non era mai a corto di argomenti, né faticava a trovarne quando andava da suo padre. La sua cerchia di amicizie era piuttosto ampia e lei la frequentava spesso e volentieri. Mi chiesi che cosa avrebbero pensato le sue amiche se avessero assistito a una nostra tipica serata casalinga.

Eravamo l'unica coppia con questo problema? Oppure era una conseguenza inevitabile con il passare del tempo? A rigore di logica optavo per la seconda ipotesi, però mi addolorava pensare che la sua vivacità sarebbe scomparsa una volta riagganciato il telefono. Persa la disinvoltura della telefonata e la magia della cena, non me la sentivo di affrontare un altro scambio di battute sul tempo.

Ma che cosa potevo fare? La domanda mi ossessionava. Nel giro di un'ora avevo visto le due facce del nostro matrimonio e sapevo bene quale ritenevo ci meritassimo.

Udii in sottofondo Jane accomiatarsi da Leslie. Quando giunge al termine, una telefonata segue uno schema prestabilito e io conoscevo bene il suo quanto il mio. Tra poco l'avrei sentita dire alla figlia che le voleva bene, e poi, dopo una pausa in cui l'altra avrebbe risposto allo stesso modo, l'avrebbe salutata. Decisi impulsivamente di cogliere l'occasione e mi alzai.

Avrei attraversato la stanza e le avrei preso la mano come quel giorno davanti alla cappella del campus. Lei sarebbe rimasta sorpresa dal mio gesto – proprio come allora – ma io l'avrei stretta a me, le avrei accarezzato il viso, poi avrei chiuso lentamente gli occhi e, non appena le mie labbra avessero toccato le sue, avrebbe capito che sarebbe stato un bacio diverso da tutti quelli finora ricevuti. Sarebbe stato insolito, eppure familiare; tenero e appassionato; un bacio ispirato che avrebbe risvegliato le sue emozioni. Un nuovo inizio, per noi.

Mi immaginai la scena chiaramente, e un attimo dopo la sentii riagganciare. Era giunto il momento: feci appello a tutto il mio coraggio e mi avviai verso di lei.

Jane mi dava le spalle e teneva ancora la mano sul telefono. Rimase immobile per un istante, guardando fuori dalla finestra il cielo grigio che si andava oscurando lentamente. Era la persona più meravigliosa che avessi mai conosciuto, pensai, e glielo avrei detto nei momenti successivi al nostro bacio.

Continuai ad avanzare. Adesso era vicina, così vicina che potevo cogliere l'aroma del suo profumo. Il cuore mi accelerò. C'ero quasi, ma quando stavo per toccarle la mano, lei di colpo rialzò la cornetta. Con gesti rapidi e sicuri schiacciò due pulsanti della rubrica digitale, e capii all'istante chi stava per chiamare.

Un attimo dopo, quando Joseph rispose, persi tutta la mia baldanza e tornai al divano.

Rimasi seduto per un'oretta con la biografia di Roosevelt aperta sulle ginocchia.

Sebbene Jane avesse chiesto a me di avvisare gli invitati, dopo aver parlato con Joseph continuò a telefonare alle persone più vicine alla famiglia. Comprendevo la sua ansia, ma in questo modo lei restò occupata fin dopo le nove e finii per raggiungere la triste consapevolezza che le speranze disattese, anche le più piccole, sono sempre dolorose.

Quando ebbe finito cercai di intercettare il suo sguardo, ma invece di venire a sedersi sul divano accanto a me, lei afferrò una borsa posata sul tavolo accanto alla porta d'ingresso.

«Tornando a casa ho preso queste per Anna», disse, mostrandomi un paio di riviste dedicate alle spose. «Prima di dargliele, vorrei guardarle.»

Mi sforzai di sorridere, sapendo che il resto della serata era perso. «Ottima idea.»

Mentre stavamo seduti in silenzio – io sul divano, Jane in poltrona – le lanciai qualche occhiata furtiva. I suoi occhi erano intenti a valutare un abito dopo l'altro; la vidi anche ripiegare l'angolo di alcune pagine. La sua vista, come la mia, non è più perfetta come un tempo e mi accorsi che doveva allontanare il giornale dal viso per mettere a fuoco le immagini. Di tanto in tanto la sentivo borbottare tra sé o emettere un'esclamazione soffocata mentre s'immaginava Anna con indosso questo o quel vestito.

Osservando il suo viso espressivo, mi venne da pensare che, nel corso degli anni, l'avevo baciato in ogni sua parte. Non ho amato mai nessun'altra oltre te, avrei voluto dirle, ma il buonsenso ebbe il sopravvento, consigliandomi di riservare quelle parole a un altro momento, quando avrei goduto della sua totale attenzione.

Mentre i minuti passavano, continuai a sbirciarla. Cominciavo a essere stanco ed ero sicuro che lei avrebbe continuato a leggere almeno per un'ora. Le pagine evidenziate avrebbero richiesto una seconda occhiata e doveva ancora finire di sfogliare le riviste.

«Jane?» dissi.

«Mmmm?» fece lei meccanicamente.

«Ho un'idea.»

«A che proposito?» chiese senza alzare lo sguardo.

«Su dove celebrare il matrimonio.»

Le mie parole alla fine arrivarono a destinazione e Jane sollevò la testa.

«Forse non sarà perfetto, ma sono sicuro che è disponibile», dissi. «È all'aperto e c'è molto posto per parcheggiare. E ci sono anche i fiori. Bellissimi.»

«Dove sarebbe?»

Esitai.

«La vecchia casa di Noah», dissi. «Sotto il pergolato accanto al roseto.»

Aprì e richiuse la bocca senza che ne uscisse alcun suono, poi sbatté gli occhi come per schiarirsi la vista. Ma infine, lentamente, sulla sua faccia comparve un sorriso.

Sei

La mattina successiva presi accordi per gli smoking e cominciai a fare le telefonate agli amici e ai vicini segnati sull'elenco di Anna, ricevendo quasi sempre una risposta affermativa.

Ma certo che ci saremo, disse una di loro. Non ce lo perderemmo per niente al mondo, sai, mi assicurò un'altra.

Pur mostrandomi il più gentile possibile, non mi trattenevo troppo al telefono e prima di mezzogiorno avevo già terminato.

Jane e Anna erano andate a scegliere i fiori e più tardi, quel pomeriggio, ci saremmo trovati a casa di Noah. Dato che mancavano ancora diverse ore al nostro appuntamento, decisi che avrei fatto un salto a Creekside.

Lungo la strada mi fermai in un negozio a comperare tre confezioni di pancarré.

Mentre guidavo, la mia mente tornò alla vecchia

casa di mio suocero e alla prima volta che ci ero andato.

Jane e io ci frequentavamo da sei mesi quando si decise a portarmi lì. In giugno si diplomò alla Meredith e, dopo la festa, salì in macchina con me e seguimmo i suoi genitori fino a New Bern. Lei era la primogenita di quattro figli e, al nostro arrivo, mi sentii addosso gli occhi di tutta la famiglia. Ci eravamo già presentati alla cerimonia del diploma, durante la quale Allie a un certo punto mi aveva persino preso sottobraccio, ma continuavo a domandarmi quale impressione avrei fatto loro.

Intuendo il mio nervosismo, Jane mi propose di fare una passeggiata nei dintorni. La vista dell'ampia pianura ebbe un effetto calmante su di me; il cielo era di un azzurro intenso e la brezza piacevolmente fresca. Nel corso degli anni Noah aveva piantato migliaia di bulbi e lungo la staccionata i gigli fiorivano in grappoli dai colori accesi. Gli alberi avevano chiome di mille verdi diversi, mentre nell'aria vibrava i canto degli uccelli. Ma il mio sguardo venne catturato dal roseto che spiccava in lontananza. i cinque cuori concentrici – i cespugli più alti al centro, quelli più bassi all'esterno – erano un'esplosione di rossi, rosa, arancioni, bianchi e gialli. I fiori seguivano una specie di casualità orchestrata, a metà tra l'artificio dell'uomo e la spontaneità della natura, che contrastava con la selvaggia bellezza del paesaggio.

Dopo un po' arrivammo sotto il pergolato adiacente al giardino. Io ovviamente ero già innamorato di Jane, ma non ero ancora sicuro che per noi potesse esistere un futuro insieme. Come ho già detto, ritenevo fondamentale trovare un impiego stabile prima di farmi coinvolgere in una relazione seria. Mi mancava ancora un anno alla laurea e non mi sembrava giusto chiederle di aspettarmi. Allora non sapevo ancora che avrei finito per lavorare a New Bern. Anzi, avevo già fissato dei colloqui ad Atlanta e a Washington per l'anno successivo, mentre lei aveva in programma di tornare a casa.

Con Jane, tuttavia, era diventato difficile rispettare i miei piani. Lei sembrava apprezzare la mia compagnia: mi ascoltava con interesse, mi prendeva in giro affettuosamente e mi teneva sempre per mano quando eravamo insieme. Ricordo che, la prima volta che lo fece, ero stato invaso da una sensazione di benessere. Potrà sembrare ridicolo, ma quando due persone si prendono per mano non sempre scatta qualcosa. Secondo me dipende dal modo in cui si intrecciano le dita e dalla posizione dei pollici, anche se mia moglie trova ridicoli questi ragionamenti.

Quel giorno stavamo appunto camminando mano nella mano quando lei mi raccontò la storia dei suoi genitori. Si erano conosciuti da adolescenti e si erano subito innamorati, ma poi Allie era andata a vivere lontano e non si erano più rivisti per quattordici anni. Durante il periodo della loro separazione,

Noah aveva lavorato nel New Jersey, era partito per la guerra e infine era tornato a New Bern. Allie, intanto, si era fidanzata con un altro. Poche settimane prima del matrimonio era tornata a trovare Noah e si era resa conto di non avere mai smesso di amarlo Alla fine aveva rotto il fidanzamento per sposare lui.

Da parte mia, al momento non trovai la vicenda così commovente, come invece mi pare adesso, ma suppongo dipendesse dalla giovane età e dal fatto che sono un uomo. Era invece chiaro che per Jane significava molto e rimasi colpito dal profondo affetto che nutriva per i genitori. Non appena cominciò a parlare, gli occhi le si riempirono di lacrime, che presero a rigarle le guance. Dapprincipio se le asciugò, poi smise di farlo, come se avesse deciso che non aveva importanza se io la vedevo così. Questa implicita intimità mi colpì profondamente: non mi era capitato spesso di piangere, e mai davanti ad altri.

Lei sembrò intuire questo aspetto del mio carattere.

«Mi spiace di essermi fatta prendere dall'emozione», momorò infine. «Ma era tanto che aspettavo di raccontarti questa storia. Volevo farlo nel posto giusto e al momento giusto.»

Poi mi strinse la mano, come se non volesse lasciarmela più.

Distolsi lo sguardo, oppresso da uno strano peso interiore. La scena intorno a me era chiara in ogni particolare, foglie e petali risaltavano con contorni netti. Alle spalle di Jane, vidi la sua famiglia riunita nel portico. Sul terreno si riflettevano prismi di luce.

«Grazie di aver condiviso tutto questo con me», sussurrai, e quando mi voltai a guardarla capii definitivamente che cosa significava essere innamorati.

Arrivato a Creekside, trovai mio suocero in riva al laghetto.

«Ciao, Noah.»

«Ciao, Wilson.» Come al solito, teneva lo sguardo rivolto verso l'acqua. «Grazie di essere venuto.»

Posai per terra il pane che avevo portato. «Come va?»

«Potrebbe andare meglio, ma anche peggio.»

Mi sedetti accanto a lui sulla panchina. Il cigno non sembrava avere paura di me e rimase a nuotare nell'acqua bassa.

«Le hai parlato dell'idea di celebrare il matrimonio a casa nostra?» mi chiese Noah.

Annuii. Ne avevo discusso con lui il giorno precedente.

«Credo sia rimasta sorpresa di non averci pensato per prima.»

«Ha tante cose per la testa.»

«Hai ragione. Stamattina lei e Anna sono uscite subito dopo colazione.»

«Fervono i preparativi?»

«Puoi ben dirlo. Sono in giro da ore e non le ho ancora sentite.»

«Allie fece lo stesso per Kate.»

Si riferiva alla sorella minore di Jane. Anche il matrimonio di Kate era stato celebrato a casa del padre.

«Immagino sia già a caccia dell'abito da sposa.»

Lo guardai, sorpreso.

«Fu una vera impresa, per Allie», proseguì Noah. «Lei e Kate trascorsero due giorni interi a Raleigh in cerca dell'abito perfetto. Mia figlia ne provò un centinaio, e quando Allie tornò a casa me li descrisse tutti uno per uno. Pizzo così, maniche cosà, seta e taffettà, vita alta... andò avanti a parlare per ore, ma era così bella che non feci molta attenzione a ciò che diceva.»

Intrecciai le mani in grembo. «Non credo che Jane e Anna abbiano molto tempo per scegliere.»

«Già.» Si voltò verso di me. «Ma Anna sarà bellissima qualunque cosa indossi, sai.»

Ero d'accordo con lui.

Attualmente i quattro figli contribuiscono al mantenimento della casa di Noah.

La proprietà è suddivisa equamente tra loro; sono stati i genitori a volere così, prima di trasferirsi a Creekside, perché in quel luogo ci sono molti ricordi comuni a tutta la famiglia.

Come ho detto, mi capitava di andarci spesso e quel giorno, dopo aver lasciato mio suocero, mi misi a camminare per il prato guardandomi intorno. Anche se un vecchio custode faceva del suo meglio per tosare l'erba e tenere in ordine la staccionata, c'erano molti interventi da fare prima del matrimonio. Il rivestimento di legno dell'edificio era ingrigito dall'umidità e dalla pioggia, ma sarebbe bastata un'energica lavata, mi dissi, per riportarlo all'antico candore. Notai però che il terreno era in cattive condizioni. Le erbacce infestavano la base della staccionata, le siepi avevano bisogno di essere potate e i gigli, fioriti in primavera, ora si erano ridotti a steli rinsecchiti. Cespugli di ibisco, ortensie e gerani creavano qua e là allegre macchie di colore, però anche loro necessitavano di qualche cura.

Si trattava sicuramente di interventi realizzabili nel giro di poco, considerai; quello che invece mi preoccupava seriamente era il roseto a forma di cuore. Negli anni di abbandono era cresciuto disordinatamente; ogni fila aveva raggiunto grossomodo la stessa altezza e i cespugli si intrecciavano l'uno nell'altro. Gli steli spuntavano da tutte le parti e le foglie nascondevano gran parte dei colori. Inoltre, non avevo idea se i riflettori funzionassero ancora. Da dove mi trovavo, l'unica soluzione possibile sembrava quella di potare tutto e aspettare la fioritura dell'anno successivo.

Speravo però che il nostro giardiniere potesse compiere un miracolo. Se c'era uno in grado di farlo, era lui. Persona tranquilla con la passione della perfezione, Nathan Little aveva curato alcuni dei giardini più famosi del North Carolina ed era un vero esperto di botanica.

Il mio amore per il nostro giardino – piccolo ma

112

splendido – aveva via via consolidato la nostra amicizia e spesso Nathan passava da noi dopo il lavoro. Parlavamo a lungo delle caratteristiche chimiche dei terreni e dell'importanza dell'ombra per le azalee; delle differenze tra i fertilizzanti e della giusta frequenza di irrigazione delle viole del pensiero. Per me quello era un hobby da cui traevo grandi soddisfazioni.

Mentre esaminavo la proprietà, mi immaginai le migliorie che volevo apportare. Quella mattina, tra le varie telefonate, avevo chiamato anche Nathan, che aveva acconsentito a venire anche se era domenica. Aveva a disposizione tre squadre che in una giornata potevano svolgere una mole di lavoro stupefacente. Ciononostante, il mio era un progetto ambizioso e sperai che riuscissero a portarlo a termine in tempo.

Ero intento nelle mie riflessioni quando scorsi in lontananza Harvey Wellington, il pastore della chiesa battista. Stava in piedi nel portico, appoggiato a un palo, con le braccia conserte. Restammo per qualche istante a fissarci, poi lo vidi sorridere. Pensai fosse un invito a raggiungerlo, ma quando tornai a guardare dalla sua parte dopo aver girato un attimo la testa, era scomparso dentro casa. Di colpo mi resi conto che, pur avendo a volte parlato con lui e avendogli stretto la mano, non avevo mai messo piede oltre la soglia di casa sua.

Nathan arrivò dopo pranzo e trascorremmo insieme un'ora. Lui seguiva il mio discorso con frequenti

113

cenni del capo, limitando al minimo le domande. Quando ebbi finito, si schermò gli occhi con la mano.

L'unico problema sarebbe stato il roseto, decretò. Ci sarebbe voluto molto lavoro per riportarlo in condizioni migliori.

Ma era possibile? chiesi.

Esaminò ancora una volta il roseto, poi assentì. Mercoledì e giovedì, disse. Sarebbe venuta tutta la squadra al completo. Erano trenta persone.

Due giorni soltanto? domandai. Anche per il giardino? Conosceva bene il suo mestiere, quanto io il mio, ma la sua dichiarazione mi lasciò sbigottito.

Mi sorrise, posandomi una mano sulla spalla. «Non preoccuparti, amico mio», mi rassicurò. «Sarà magnifico.»

Verso metà pomeriggio il calore saliva a ondate dal terreno e l'umidità appesantiva l'aria, sfocando la linea dell'orizzonte. Presi un fazzoletto dalla tasca per asciugarmi il sudore che mi imperlava la fronte. Poi mi sedetti nel portico ad aspettare Jane e Anna.

La casa era stata sigillata con solide imposte di legno per evitare atti di vandalismo e visite indesiderate. Era stato Noah a progettarle prima di ritirarsi a Creekside e i figli le avevano realizzate. Erano fissate ai cardini e tenute ferme da chiavistelli che permettevano di sbloccarle dall'interno. Due volte all'anno il custode le apriva per far circolare aria nelle stanze. L'elettricità era stata tolta, ma sul retro c'era un generatore che veniva azionato di tanto in tanto per verificare il funzionamento di prese e interruttori. L'acqua non era mai stata chiusa per via dell'impianto di irrigazione e il custode mi aveva detto che ogni tanto apriva i rubinetti in cucina e nei bagni per sgorgare le tubature da eventuali depositi.

Sono sicuro che un giorno qualcuno tornerà ad abitare lì. Non saremo né io né Jane, né nessun altro dei fratelli, ma è inevitabile. Com'è inevitabile che accadrà dopo che Noah ci avrà lasciato.

Le mie donne mi raggiunsero presto, accompagnate da una nuvola di polvere sollevata dai pneumatici. Andai loro incontro, fermandomi all'ombra di una grande quercia. Quando scesero si guardarono intorno, e vidi l'ansia montare sulla faccia di Jane. Anna stava masticando una gomma e mi rivolse un breve sorriso.

«Ciao, papà.»

«Ciao, tesoro. Com'è andata la giornata?» le chiesi.

«Bene. La mamma era in preda al panico, ma alla fine siamo riuscite a combinare tutto. Abbiamo ordinato i bouquet, l'addobbo e le bomboniere.»

Jane intanto continuava a lanciare occhiate intorno con aria nervosa. Si stava evidentemente convincendo che non saremmo mai riusciti a ultimare i preparativi in tempo. Forse, venendo lì più raramente di me, serbava ancora in mente l'immagine della casa com'era stata un tempo, e in effetti la differenza era notevole.

Le posai una mano sulla spalla. «Non preoccuparti. Sarà tutto magnifico», le dissi per tranquillizzarla riecheggiando la promessa del giardiniere.

Jane e io facemmo un giro insieme. Anna si era appartata per chiamare Keith con il cellulare. Mentre camminavamo per il giardino, le riferii il mio colloquio con Nathan, ma mi resi conto che la sua mente era altrove.

Le chiesi che cosa la preoccupasse, ma lei scrollò il capo. «È Anna», mi confidò poi con un sospiro. «Un attimo prima partecipa ai preparativi, quello dopo sembra indifferente. E non riesce a prendere nessuna decisione in modo autonomo. Persino sui fiori. Non sapeva che colore voleva per i bouquet, né quali fiori scegliere. Però appena io dico che mi piace qualcosa, lei è subito dello stesso parere. Mi dà sui nervi. Cioè, lo so che è tutta una mia idea, ma in fondo si tratta pur sempre del suo matrimonio.»

«È sempre stata così», risposi. «Non ti ricordi quando era piccola? Mi dicevi le stesse identiche frasi tutte le volte che andavate a comprare i vestiti per la scuola.»

«È vero», ammise, ma dal suo tono capii che qualcos'altro la angustiava.

«Che cosa c'è?»

«Vorrei solo avere un po' più di tempo a disposizione», rispose. «La cerimonia sarà magnifica, d'accordo, ma dopo? Nessun ricevimento. È un'occasione che non capita due volte nella vita di una donna.»

Mia moglie, l'inguaribile romantica.

«Allora perché non organizziamo un ricevimento?»

«Ma di che cosa parli?»

«Perché non lo teniamo qui? Apriremo la casa, semplice.»

Mi guardò come se stessi delirando. «E come? Non abbiamo un servizio di catering, non ci sono tavoli, né musica. Queste cose non si fanno all'ultimo momento. Non è che puoi ottenere tutto quello che ti serve semplicemente schioccando le dita.»

«Era quello che dicevi anche a proposito del fotografo.»

«Un ricevimento è una faccenda più complicata», sentenziò lei con aria decisa.

«Potremmo fare a modo nostro», insistei, «e chiedere a ciascuno degli invitati di portare del cibo.»

Sbatté gli occhi. «Non credo alle mie orecchie», sbottò senza nemmeno tentare di mascherare il disappunto. «Vorresti offrire un pasto alla buona per festeggiare le nozze di tua figlia?»

Mi sentii diventare piccolo piccolo. «Era solo un'idea», borbottai.

Lei scosse il capo e guardò lontano. «Lasciamo perdere. Tanto non ha importanza. Quello che conta è la cerimonia.»

«Lasciami fare qualche telefonata», proposi. «Magari trovo qualcuno disposto ad aiutarci.»

«Non c'è tempo», insisté lei.

«Conosco della gente che lavora in questo settore.»

Era vero. Essendo uno degli unici tre avvocati patrimoniali di tutta la città – e, nei primi anni della mia carriera, l'unico in assoluto – conoscevo gran parte degli imprenditori locali.

Lei esitò. «Questo lo so», disse quasi in tono di scusa. Con un gesto che sorprese anche me, le presi la mano.

«Farò qualche telefonata», continuai. «Fidati di me.»

Forse sarà stata la serietà delle mie parole, forse la determinazione nel mio sguardo, fatto sta che la vidi sollevare la testa e studiarmi a fondo. Poi, lentamente, mi strinse la mano per manifestarmi la sua fiducia.

«Grazie», disse e, mentre avvertivo il contatto delle nostre mani, provai una sensazione di *déjà vu*, come se fossi tornato indietro nel tempo. Per un brevissimo istante rividi Jane in piedi sotto il pergolato: mi aveva appena raccontato la storia dei suoi genitori ed eravamo giovani, innamorati, con un futuro promettente e radioso davanti a noi.

Quando la vidi andare via con Anna, qualche minuto dopo, capii che quel matrimonio era l'occasione migliore che ci fosse capitata da anni.

Sette

Quella sera, quando Jane rincasò, la cena era quasi pronta.

Abbassai la temperatura del forno, dove stava arrostendo un pollo, e mi pulii le mani mentre uscivo dalla cucina.

«Ciao», la salutai.

«Ciao. Come sono andate le telefonate?» domandò posando la borsa sul tavolino. «Oggi mi sono dimenticata di chiedertelo.»

«Finora bene», risposi. «Tutte le persone segnate nell'elenco hanno accettato. Almeno quelle che sono riuscito a contattare.»

«Tutte? È... stupefacente. In genere la gente è in vacanza in questo periodo dell'anno.»

«Come noi?»

Fece una risata spensierata, e fui contento di vedere che il suo umore sembrava migliorato. «Esatto», disse con un cenno della mano, «come noi due, che ce ne stiamo qui seduti a rilassarci, giusto?»

119

«Non è tanto male.»

Nell'aria di sentiva l'odore del pollo arrosto. «Hai cucinato di nuovo?» chiese lei sorpresa.

«Pensavo che non avresti avuto voglia di farlo tu, stasera.»

Sorrise. «Che pensiero carino.» I nostri sguardi si incontrarono e indugiarono un po' più a lungo del solito. «Ti spiace se mi faccio una doccia prima di mangiare? Sono tutta sudata. Non abbiamo fatto altro che salire e scendere continuamente dalla macchina con questo caldo.»

«Fai pure.»

Pochi istanti dopo, sentii l'acqua che scorreva nelle tubature. Feci saltare le verdure in padella, scaldai il pane in forno e stavo giusto apparecchiando quando Jane tornò in cucina.

Anch'io mi ero fatto una doccia appena tornato a casa, poi mi ero infilato un paio di calzoni nuovi. Quelli vecchi, infatti, ormai mi andavano larghi.

«Sono i pantaloni che ti ho comprato io?» mi chiese lei fermandosi a guardarmi sulla soglia.

«Sì. Come mi stanno?»

Mi fissò con ammirazione.

«A pennello», rispose. «Da questa angolazione, si vede che sei dimagrito parecchio.»

«Sono contento», replicai, «sarebbe stato un peccato fare tutti quei sacrifici per niente.»

«Ma quali sacrifici. Solo qualche camminata.»

«Prova tu a svegliarti prima dell'alba, soprattutto quando piove.»

«Oh, poverino, chissà che fatica», mi prese in giro bonariamente.

«Non ne hai idea.»

Ridacchiò. Indossava un paio di calzoni comodi e, dalla punta aperta delle pantofole, spuntavano le dita dei piedi con le unghie colorate di rosso. Aveva i capelli ancora bagnati e due macchie d'acqua sulla camicia all'altezza dei seni. Anche in quella semplice tenuta, era una donna molto sensuale.

«Senti questa», mi disse. «Anna sostiene che Keith è entusiasta dei tuoi progetti. Sembra più coinvolto di lei.»

«Anche nostra figlia è contenta. Solo che è un po' nervosa e non vuole darlo a vedere.»

«Anna non si innervosisce mai. È come te »

«Ma in certi casi anch'io mi agito», protestai.

«Non è vero »

«Sì, invece.»

«Prova a dirmi una volta che è successo.»

Ci riflettei un istante. «D'accordo», risposi. «Ero nervoso quando tornai all'università per l'ultimo anno.»

Lei valutò la mia risposta, poi scosse il capo. «Ma se a scuola eri bravissimo. Sei stato citato anche sulla rivista studentesca.»

«Non ero preoccupato per gli studi, ma perché temevo di perderti. Tu avevi iniziato a insegnare a New Bern, ricordi? Avevo paura che qualche bellimbusto ti conquistasse e ti portasse via da me. Ne avrei sofferto da morire.»

Mi guardò con aria dubbiosa, soppesando l'affermazione. Poi si mise le mani sui fianchi e piegò la testa di lato. «Sai, in realtà comincio a credere che questa storia abbia coinvolto anche te.»

«Quale storia?»

«Quella del matrimonio. Cioè, hai cucinato per due sere di fila, mi stai aiutando nei preparativi, sei diventato nostalgico. Credo che l'eccitazione ti abbia contagiato.»

Udii il trillo del contaminuti del forno.

«Sai, forse hai ragione», concordai.

Ero stato sincero nel dirle che avevo temuto di perderla tornando alla Duke per finire la facoltà di Legge, e sono pronto ad ammettere di non aver affrontato nel modo migliore quella cruciale circostanza. Sapevo che noi due avremmo dovuto restare separati per mesi e mi chiedevo se avremmo saputo mantenere vivo a distanza il nostro rapporto. Quando ne parlammo, quell'estate, Jane non si mostrò minimamente preoccupata. Manifestava una sicurezza quasi sdegnosa che ce l'avremmo fatta a superare la prova, e sebbene capissi che quello era un buon segno, mi capitava di pensare che forse io le volevo bene più di quanto lei non ne volesse a me.

Certo, ero conscio di avere delle qualità, ma non le reputavo così straordinarie. D'altra parte non giudicavo i miei difetti particolarmente gravi e, nel complesso, sapevo di non essere destinato alla fama né all'oblio.

Quanto a Jane, in quel breve periodo di frequentazione ero giunto alla conclusione che – con la sua intelligenza e la sua passione, la sua gentilezza e il suo fascino, la sua sensibilità e la grande capacità di adattamento – sarebbe stata una moglie perfetta per chiunque.

Allora perché aveva scelto proprio me?

Era un interrogativo che mi tormentava senza sosta. Temevo che un giorno lei si accorgesse che non ero niente di speciale e si mettesse in cerca di un tipo più carismatico. L'insicurezza mi impediva di confidarle i miei sentimenti. A volte avrei voluto farlo, ma il momento giusto invariabilmente sfumava in un nulla di fatto.

In compenso, mentre facevo pratica in uno studio legale durante l'estate, parlavo spesso di lei durante la pausa di pranzo e magnificavo il nostro rapporto come pressoché perfetto. Alcuni miei colleghi sembravano quasi gelosi dei miei successi professionali e personali, mentre Harold Larson, che come me studiava alla Duke, mi raccontava a propria volta con entusiasmo della sua ragazza. Stavano insieme da più di un anno, ma ora Gail era andata a vivere vicino ai genitori a Fredericksburg, in Virginia. Lui aveva intenzione di sposarla subito dopo la laurea.

Verso la fine dell'estate lo studio legale organizzò una festa e ci dissero di portare anche le nostre ragazze. La richiesta parve mettere in imbarazzo Harold, il quale, dopo qualche insistenza, si decise a confidarsi.

«Gail e io ci siamo lasciati la settimana scorsa», mi spiegò con aria sconsolata. «Pensavo che le cose andassero alla grande tra di noi, anche se non riuscivamo più a vederci spesso. Immagino che lei, invece, non abbia retto alla distanza e forse non se la sentiva di aspettare fino alla mia laurea. Così si è messa con un altro.»

Quella conversazione non fece che accrescere i miei timori. Una domenica, due giorni dopo che eravamo andati insieme alla festa dello studio, Jane e io stavamo seduti nel portico di casa sua. Quella sera sarei partito per Durham e ricordo che, fissando il fiume in lontananza, mi domandavo se lei, come Gail, si sarebbe presto trovata qualcuno per rimpiazzarmi.

«Ehi, straniero», mi apostrofò Jane, «come mai oggi sei così taciturno?»

«Sto pensando al ritorno all'università.»

Sorrise. «Lo temi o lo agogni?»

«Entrambe le cose, credo.»

«Vedila in questo modo: mancano solo nove mesi e poi sarai laureato.»

Annuii in silenzio.

Lei mi scrutò. «Sei sicuro che sia solo questo il problema? È tutto il giorno che hai la faccia scura.»

Mi agitai sulla sedia. «Ti ricordi di Harold Larson? Te l'ho presentato alla festa.»

Socchiuse gli occhi, cercando di metterlo a fuoco. «Quello che studia alla Duke? Alto, capelli castani?» Feci cenno di sì.

«Che cosa gli è successo?» mi domandò.

«Ti sei accorta che era da solo?»

«Veramente no. Perché?»

«La sua ragazza lo ha appena piantato.»

«Oh», fece lei, ma capii che non riusciva a comprendere il nesso.

«Sarà un anno difficile», proseguii. «Vivrò segregato in biblioteca.»

Jane mi posò affettuosamente la mano sul ginocchio. «Finora sei andato benissimo. Sono sicura che ce la farai anche quest'anno.»

«Lo spero», dissi. «Il fatto è che probabilmente non riuscirò a venire qui a trovarti tutti i fine settimana.»

«Lo immaginavo. Ma ci vedremo lo stesso, ogni tanto. E poi posso sempre fare una scappata io, non dimenticarlo.»

In lontananza, scorsi uno stormo di starne alzarsi in volo dalle fronde degli alberi. «Sarebbe meglio che mi avvisassi, prima. Per sapere se sono libero: l'ultimo anno è il più faticoso.»

Lei piegò la testa di lato, cercando di decifrare il senso delle mie parole. «Che succede, Wilson?»

«Che vuoi dire?»

«Sembra che tu abbia già pensato a delle scuse per non vedermi affatto.»

125

«Non è vero. Mi preme soltanto farti capire che nei prossimi mesi sarò molto impegnato.»

Jane si appoggiò alla spalliera della sedia, le labbra serrate. «E?...» chiese.

«E cosa?»

«Quindi non vuoi più vedermi?»

«No», protestai. «Certo che no. Ma resta il fatto che saremo lontani. Sai quanto può essere difficile mantenere le relazioni a distanza.»

Lei incrociò le braccia. «E allora?»

«La lontananza può indebolire anche le migliori intenzioni e, a essere sincero, non voglio che uno di noi due debba soffrire.»

«Soffrire?»

«È quello che è successo ad Harold e Gail», le spiegai. «Non si vedevano spesso perché lui era molto impegnato, e alla fine si sono lasciati.»

Jane esitò. «E tu pensi che possa succedere lo stesso anche a noi», disse lentamente.

«Devi ammettere che le percentuali non sono a nostro favore.»

«Cosa?» Mi guardò sbigottita. «Stai cercando di ridurre a dei numeri la nostra storia?»

«Sto solo cercando di essere onesto...»

«A che proposito? Le probabilità? Che cosa c'entrano con noi? E che cosa c'entra Harold in tutto questo?»

«Jane, io...»

Lei girò la testa, incapace di guardarmi. «Se non mi vuoi più vedere, dillo e basta. Non usare gli impegni scolastici come scusa. Dimmi la verità. Sono adulta, ormai. E sono in grado di affrontarla.»

«Ma io ti sto dicendo la verità», mi affrettai a replicare. «Io voglio continuare a vederti. Non ho usato le parole giuste...» Deglutii. «Cioè... ecco... tu sei davvero speciale, e significhi molto per me.»

Lei tacque. Nel silenzio che seguì, mi accorsi con sorpresa che una lacrima solitaria le rigava la guancia. Se l'asciugò con la mano, poi incrociò le braccia. Il suo sguardo era fisso sugli alberi in riva al fiume.

«Perché devi fare sempre così?» chiese con voce rotta.

«Così come?»

«Come adesso. Parli di numeri, usi le statistiche per spiegare... per spiegare quello che siamo. Il mondo non funziona così. E nemmeno le persone. Noi non siamo Harold e Gail.»

«Sì, hai ragione...»

Si voltò verso di me e lessi sul suo viso la rabbia e il dolore che le avevo causato. «Allora perché lo dici?» domandò. «Lo so anch'io che non sarà facile, ma cosa importa? Mia madre e mio padre rimasero separati per quattordici anni, eppure si sposarono lo stesso. E tu ti preoccupi di nove mesi? Quando sarai a solo due ore di distanza? Potremo telefonarci, scriverci...» Scrollò la testa.

«Scusami», dissi. «È che ho paura di perderti. Non volevo sconvolgerti...»

«Perché?» mi chiese. «Perché sono speciale? Perché significo molto per te?»

Assentii con vigore. «Certo. È così. Tu sei speciale.»

Fece un profondo respiro. «Be', anch'io sono felice di averti conosciuto.»

A questo punto cominciai finalmente a comprendere. Mentre io avevo inteso quelle parole in un certo senso, Jane le aveva interpretate diversamente, e l'idea di averla ferita mi fece venire un groppo in gola.

«Scusami», ripetei, «non mi sono espresso bene. Tu sei molto speciale per me, e… sai, il fatto è…»

Avevo la bocca secca e il mio balbettio alla fine suscitò un sospiro di impazienza da parte sua. Sapendo di non poter più temporeggiare, mi schiarii la gola e cercai parlarle a cuore aperto.

«Quello che volevo dire è che credo di amarti», mormorai pianissimo.

Lei rimase in silenzio, ma capii che mi aveva udito quando vidi la sua bocca incurvarsi in un lieve sorriso.

«Bene», disse, «lo credi solo o ne sei convinto?»

Deglutii. «Ne sono convinto», risposi. Poi, per fugare qualsiasi traccia di dubbio, aggiunsi: «Di amarti, cioè».

Per la prima volta quel giorno, lei rise, divertita dalla mia goffaggine. «Sai, Wilson, è la cosa più dolce che tu mi abbia mai detto.»

Cogliendomi di sorpresa, si alzò dalla sedia e venne a sedersi sulle mie ginocchia. Mi cinse con un braccio e mi baciò a lungo. Dietro di lei il mondo mi appariva sfocato e, alla luce del tramonto, udii rieccheggiare nell'aria le mie stesse parole.

«Anch'io ne sono convinta», mormorò Jane. «Di amarti, cioè.»

Stavo ripensando a quell'episodio, quando la voce di Jane mi riportò al presente.

«Perché sorridi?» mi chiese.

Mi guardava incuriosita. Eravamo seduti a tavola in cucina e vidi che mi ero dimenticato di accendere la candela che avevo preparato.

«Ripensi mai alla sera in cui sei venuta a trovarmi alla Duke?» le risposi. «Quando alla fine siamo riusciti a cenare da *Harper's*?»

«Avevi appena ottenuto il lavoro a New Bern, esatto? E volevi festeggiare.»

Annuii. «Avevi un vestito nero senza spalline...»

«Ricordi anche questo?»

«Come se fosse successo ieri», dissi. «Non ci vedevamo da circa un mese e ti guardai scendere dalla macchina affacciato alla finestra.»

Notai che Jane era intimamente lusingata. Allora proseguii: «Ricordo persino quello che pensai quando ti vidi».

«E sarebbe?»

«Che l'anno trascorso insieme a te era stato il più felice della mia vita.»

Lei abbassò lo sguardo sul piatto, poi tornò a posarlo su di me, quasi con timidezza.

«E ti ricordi che regalo ti ho fatto? Per Natale?» continuai.

Jane esitò un istante prima di rispondere. «Un paio di orecchini... di brillanti», disse infine, portandosi istintivamente le mani alle orecchie. «Erano costosi, e rimasi scioccata dalla tua generosità.»

«Come facevi a sapere che erano costosi?»

«Me lo hai detto tu.»

«Io?»

«Più di una volta.» Fece una smorfia. Dopodiché continuammo a mangiare in silenzio per un po'. Tra un boccone e l'altro, osservavo la curva del suo mento e il modo in cui la luce del sole al tramonto le accarezzava il viso.

«Non sembrano passati trent'anni, vero?» dissi infine.

Un'ombra di tristezza le attraversò il viso.

«No», mormorò. «Non riesco a credere che Anna stia per sposarsi. Il tempo è davvero volato.»

«Che cosa cambieresti, se potessi?» le domandai.

«Della mia vita, intendi dire?» Distolse lo sguardo. «Non so. Forse cercherei di gustare di più ogni attimo.»

«Anche per me è lo stesso.»

«Davvero?» Jane era sinceramente sorpresa.

«Certo», confermai.

Lei parve riprendersi. «È solo che... non fraintendermi, Wilson, ma in genere tu non indugi nei ricordi. Cioè, hai un approccio sempre così pratico. Non rimpiangi mai niente...» Si interruppe.

«E tu hai qualche rimpianto?» le chiesi dolcemente.

Si guardò le dita per un istante prima di rispondere: «No, in realtà no».

Stavo per stringerle la mano, ma lei cambiò argomento, dicendo allegramente: «Oggi pomeriggio sul tardi siamo andate a trovare Noah, sai».

«Ah, sì?»

«Ci ha detto che eri passato anche tu.»

«Sì, volevo essere sicuro che fosse d'accordo con l'idea di celebrare il matrimonio a casa sua.»

«Già.» Giocherellò con la verdura rimasta nel piatto. «Lui e Anna stanno molto bene insieme. Papà le ha tenuto la mano per tutto il tempo mentre lei gli raccontava dei preparativi. Avresti dovuto vederli. Mi sono tornati in mente i momenti in cui rimanevo seduta a parlare con la mamma.» Per un attimo sembrò persa nei ricordi, poi mi guardò. «Vorrei che fosse ancora con noi», mi confessò. «I matrimoni le piacevano tanto.»

«Credo che sia una caratteristica di famiglia», mormorai.

Lei sorrise malinconica. «Forse hai ragione. Non puoi immaginare quanto sia divertente, anche se abbiamo poco tempo. Non vedo l'ora che anche Leslie decida di sposarsi, per dedicarmi come si deve ai preparativi.»

«Ma se non ha ancora un ragazzo fisso.»

«Dettagli», replicò scrollando la testa. «Non significa che non possiamo cominciare a pensarci, no?»

Chi ero io per obiettare? «D'accordo. Allora spero che, quando sarà il momento, il suo pretendente chieda la mia approvazione.»

«Keith te l'ha chiesta?»

«No, in questo matrimonio tutto è così frettoloso. In ogni caso, la ritengo un'esperienza formativa, che secondo me ogni ragazzo dovrebbero affrontare.»

«Come hai fatto tu con papà?»

«Oh, quel giorno formai gran parte del mio carattere.»

«Ah, sì?» Lei mi guardò incuriosita.

«Forse avrei potuto gestire la cosa un po' meglio», ammisi.

«Papà non me lo ha mai raccontato.»

«Probabilmente perché ha avuto pietà di me. Non è stato esattamente il mio momento più felice.»

«Perché non me ne hai mai parlato?»

«Perché non volevo che lo sapessi.»

«A questo punto, devi dirmi tutto.»

Bevvi un sorso di vino per darmi un'aria disinvolta. «E va bene», mi corressi. «Ero passato da casa vostra dopo il lavoro, ma dovevo incontrarmi di nuovo con gli altri soci in serata, perciò non avevo molto tempo. Trovai Noah nel suo laboratorio: aveva costruito una casetta per dei cardellini che avevano nidificato nel portico e, quando arrivai, stava fissando il tetto. Aveva fretta di finire e io cercavo disperatamente un modo per parlargli di noi due, ma non trovavo l'aggancio. Alla fine glielo domandai e basta. Lui mi chiese di passargli un chiodo e io, porgendoglielo, dissi: 'Tenga. E già che mi viene in mente... le spiacerebbe se sposassi Jane?'»

Lei ridacchiò. «Sei sempre stato un tipo diretto», osservò. «Basta pensare al modo in cui mi hai proposto di sposarti. Fu davvero...»

«Memorabile?»

«Malcom e Linda non si stancano mai di ascoltare questa storia», disse, riferendosi a una coppia di nostri vecchi amici. «Non so quante volte mi hanno chiesto di ripetergliela.»

«E scommetto che tu accetti più che volentieri.»

Alzò le mani con finto candore. «Se i miei amici la trovano tanto divertente, perché deluderli?»

Mentre la conversazione proseguiva spigliata per il resto della cena, io continuai a osservarla. La guardavo tagliare il pollo a pezzettini prima di portarsi la forchetta alla bocca, ammiravo il modo in cui la luce si rifletteva sui suoi capelli e ogni tanto avvertivo il lieve profumo di gelsomino del suo bagnoschiuma. Quella ritrovata intimità tra di noi non aveva una spiegazione logica, né cercai di capirla. Mi chiedevo se anche Jane si fosse accorta del cambiamento. Se così era, non ne dava segno – come me, del resto – comunque indugiammo a tavola ancora a lungo dopo aver finito di mangiare.

La storia della mia dichiarazione è davvero memorabile e non manca mai di suscitare scoppi di ilarità in chi l'ascolta.

Nella nostra cerchia di amicizie, ci capita spesso di scambiarci aneddoti più o meno divertenti e, in quelle circostanze, mia moglie e io smettiamo di essere due individui separati. Formiamo una coppia affiatata, una squadra che gioca insieme con piacere. Possiamo intervenire in una storia iniziata dall'altro e riprenderci a vicenda il filo del discorso senza esitazioni. Jane, per esempio, si mette a raccontare della volta in cui Leslie guidava le ragazze pompon durante un incontro di football quando uno dei giocatori, dopo essere inciampato, la travolse. A quel punto fa una pausa, e io so che tocca a me informare l'auditorio che fu lei a scendere in campo per prima per verificare che la figlia stesse bene, perché io ero rimasto paralizzato dalla paura. Naturalmente poi mi ero ripreso e avevo cominciato a fendere la folla driblando gente a destra e a manca proprio come un giocatore di football... ma a questo punto passo la palla a mia moglie, che conclude con il lieto fine: quando la raggiungemmo, Leslie era già in piedi sana e salva e aveva recuperato i suoi pompon.

Per quanto riguarda il racconto della mia dichiarazione, invece, in genere non vi prendo mai parte. Me ne rimango seduto in silenzio, dato che Jane lo trova molto più comico di me. Dopo tutto, nelle mie intenzioni quello non doveva essere un avvenimento umoristico, ma un momento magico che lei avrebbe ricordato per sempre.

Fatto sta che, tra alti e bassi, noi due eravamo riusciti a superare l'anno di separazione mantenendo intatto il nostro amore. Verso la fine della primavera parlavamo di fidanzarci e l'unica incognita rimasta era quando lo avremmo reso ufficiale. Sapevo che lei si aspettava qualcosa di speciale: la storia d'amore dei suoi genitori costituiva un modello ineguagliabile. Pareva che, quando Noah e Allie erano insieme, tutto fosse idilliaco. Un giorno, mentre si trovavano in spiaggia, si era messo a piovere e loro ne avevano approfittato per accendere un fuoco e sdraiarsi l'una accanto all'altro, sempre più innamorati. Quando poi Allie era di umore poetico, Noah si metteva a recitarle versi a memoria. Se dunque Noah era il modello, per imitarlo avevo programmato di dichiararmi sulla spiaggia di Ocracoke, dove la famiglia di Jane era in vacanza.

Ritenevo che il mio piano fosse molto ispirato. Per farla breve, intendevo nascondere l'anello di fidanzamento in una conchiglia che avevo raccolto l'anno precedente, in modo che lei lo trovasse nella sabbia quando fossimo andati a fare una passeggiata in riva al mare. Una volta arrivato il momento, mi sarei inginocchiato, le avrei preso la mano e le avrei detto che sarei stato l'uomo più felice della Terra se avesse accettato di diventare mia moglie.

Sfortunatamente, le cose non andarono come previsto. Quel fine settimana fu guastato da violente burrasche, con pioggia battente e venti così forti da piegare gli alberi. Aspettai per tutto il sabato che il brutto tempo passasse, ma la natura sembrava di parere diverso, e solo verso metà mattina di domenica il cielo cominciò a schiarirsi.

Ero più nervoso di quanto immaginassi e continuavo a ripetermi mentalmente il mio discorso. Quella preparazione meticolosa, che mi era sempre stata utilissima nello studio, mi tenne talmente assorto nei miei pensieri mentre camminavamo lungo la spiaggia che a un certo punto addirittura trasalii udendo la voce di Jane.

«La marea sta salendo, vero?»

Non avevo tenuto conto che la marea sarebbe stata alta dopo la fine della burrasca e, pur sapendo che la conchiglia era al sicuro, non volevo correre rischi. Preoccupato, affrettai il passo.

«Perché tutta questa fretta?» mi chiese lei.

«Ma io non ho fretta», ribattei.

Lei non parve soddisfatta della risposta e, dopo un po', rallentò il passo. Io invece continuai a camminare da solo finché non vidi la conchiglia. Quando scorsi il segno della marea sulla sabbia capii che avevamo tempo e tirai un sospiro di sollievo.

Mi voltai per parlare con Jane, ma mi accorsi che si era fermata sulla riva. Stava china con un braccio proteso sulla sabbia, e compresi subito che cosa stava facendo: aveva l'abitudine di mettersi a cercare piccole conchiglie piatte. Le più belle, quelle che conservava, erano sottilissime e traslucide, non più grandi di un'unghia.

«Vieni, presto!» mi chiamò senza sollevare la testa. «Ce ne sono un sacco qui.»

La conchiglia con l'anello era a venti metri da me, Jane venti metri dietro. Rendendomi finalmente conto che non avevamo scambiato più di due parole da quando eravamo scesi sulla spiaggia, decisi di raggiungerla. Quando arrivai da lei, mi mostrò una tellina, tenendola in equilibrio sulla punta delle dita come se fosse una lente a contatto.

«Guarda questa.»

Era la più piccola che avessimo mai trovato. Dopo avermela consegnata, si chinò a cercarne altre.

La imitai con l'intenzione di condurla gradualmente verso la conchiglia con l'anello, ma lei continuava a restare nello stesso punto. Frustrato, ogni tanto sbirciavo lontano per accertarmi che la mia conchiglia fosse ancora lì.

«Che cosa stai guardando?» mi chiese infine Jane.

«Niente», risposi. Tuttavia, non resistendo alla tentazione, tornai ad alzare lo sguardo pochi istanti dopo e, quando lei se ne accorse, mi rivolse un'occhiata perplessa.

La marea continuava a salire inesorabilmente e Jane non si era mossa di un passo. Nel frattempo aveva trovato altre due telline ancora più piccole della precedente. Alla fine, non sapendo che altro fare, finsi di notare la conchiglia in lontananza.

«E quella che cos'è?» esclamai.

Jane guardò nella direzione che indicavo.

«Dev'essere una conchiglia di strombo. Perché non vai a prenderla? Sembra carina», disse.

Rimasi interdetto: volevo che fosse lei a trovarla. Le onde intanto la lambivano pericolosamente.

«Sì, infatti», dissi.

«Non vuoi andare?»

«No.»

«Perché?»

«Forse dovresti farlo tu.»

«Io?» Mi guardò confusa.

«Se ti va.»

Ci pensò su un istante, poi scrollò la testa. «Ne abbiamo già un sacco a casa. Non importa.»

«Ne sei sicura?»

«Sì.»

Si stava mettendo male. Mentre riflettevo sul da farsi, notai d'un tratto un'onda più alta delle altre che si avvicinava minacciosamente a riva. Disperato, e senza dire una parola, mi staccai da lei e schizzai verso la conchiglia.

Non sono mai stato famoso per la mia velocità, ma in quell'occasione scattai come un atleta. Correndo a più non posso, riuscii a recuperare la conchiglia pochi secondi prima che venisse spazzata via dall'acqua. Purtroppo, quel movimento brusco mi fece perdere l'equilibrio e caddi con un tonfo sulla spiaggia, gemendo. Quando mi rialzai, cercai di darmi un contegno spazzolandomi di dosso la sabbia. Jane mi fissava da lontano con occhi sgranati.

Riportai indietro la conchiglia e gliela porsi.

«Tieni.»

Lei aveva un'espressione ironica. «Grazie», rispose.

Nei miei piani lei avrebbe dovuto girare o muovere la conchiglia, e così avrebbe sentito il tintinnio dell'anello all'interno, invece rimase a guardarmi in silenzio.

«Questa conchiglia ti stava davvero molto a cuore, vero?» mi chiese alla fine.

«Sì.»

«È carina.»

«Sì.»

«Grazie di nuovo.»

«Non c'è di che.»

La teneva ancora sul palmo della mano. Sentendo crescermi dentro l'ansia, le dissi: «Scuotila».

Jane sembrò valutare il mio suggerimento.

«Scuotila», ripetei.

«D'accordo. Ti senti bene, Wilson?»

«Sì. Avanti.» Le feci un cenno di incoraggiamento.

«Va bene», mormorò lei.

Quando scosse la conchiglia, l'anello cadde nella sabbia. Io mi inginocchiai prontamente e mi misi a cercarlo. Dimenticando la dichiarazione che mi ero preparato, e senza neanche alzare lo sguardo verso di lei, a quel punto le chiesi: «Allora, vuoi sposarmi?»

Dopo aver riordinato la cucina, Jane uscì sulla terrazza lasciandosi la porta socchiusa. Lo interpretai come un invito a raggiungerla e, quando lo feci, la trovai appoggiata alla ringhiera.

Il sole era tramontato e una luna arancione stava

sorgendo sopra la cima degli alberi come un'enorme zucca di Halloween. Vidi che Jane la stava fissando. La calura del giorno era cessata e si era alzata una piacevole brezza.

«Credi davvero che riusciremo a trovare un servizio di catering?» mi chiese.

Mi sporsi dalla ringhiera accanto a lei. «Farò del mio meglio.»

«Oh», disse Jane d'un tratto. «Ricordami di prenotare il volo per Joseph, domani. So che possiamo andare a prenderlo a Raleigh, ma sarebbe meglio trovare una coincidenza fino a New Bern.»

«Ci penso io», mi offrii. «Tanto devo fare altre telefonate.»

«Sei sicuro?»

«Non preoccuparti.» Scorsi una barca che navigava sul fiume: una sagoma nera con la lanterna accesa a prua.

«Che cosa dovete fare ancora, tu e Anna?» chiesi.

«Più di quanto immagini.»

«Davvero?»

«Be', c'è da scegliere il vestito. Leslie vuole venire con noi, e ci vorrà almeno un paio di giorni.»

«Per un vestito?»

«Bisogna trovare quello giusto e poi farlo adattare. Stamattina abbiamo parlato con una sarta che ce lo consegnerà in tempo, se glielo portiamo per giovedì. E poi, naturalmente, ci sarebbe il ricevimento. Oltre al servizio di catering, dovremo pensare alla musica e all'addobbo della sala...»

Mentre parlava, feci un sospiro di rassegnazione. Sapevo che non mi sarei dovuto sorprendere, però...

«Allora, mentre io mi occupo delle telefonate, domani, immagino che voi andrete in giro a cercare il vestito, giusto?»

«Non vedo l'ora», esclamò lei. «Osservare Anna con indosso i vari modelli, capire quale le piace e quale le sta meglio. È un momento che aspetto fin da quando era piccola. È così eccitante.»

«Ne sono sicuro», convenni.

«E pensare che lei era a tanto così dal non permettermi di fare niente», osservò Jane alzando pollice e indice.

«È sorprendente quanto possano essere irriconoscenti i figli, vero?»

Rise, tornando a girare lo sguardo verso l'acqua. In sottofondo, grilli e rane avevano dato inizio al loro concerto notturno, un suono eterno e immutabile.

«Ti va di fare due passi?» le chiesi di botto.

Lei esitò. «Adesso?»

«Perché no?»

«Dove vuoi andare?»

«Ha importanza?»

Era sorpresa, ma rispose: «In effetti, no».

Pochi minuti dopo uscimmo. Le strade erano deserte. Dietro le finestre illuminate delle case ai lati della via si scorgevano ombre in movimento. Ci incamminammo sul ciglio della strada, facendo scricchiolare la ghiaia sotto i nostri piedi. Il cielo era solcato da strie di nuvole argentee.

«Anche la mattina c'è questa pace?» mi chiese Jane. «Quando fai jogging?»

Di solito esco di casa prima delle sei, quando lei non si è ancora svegliata.

«A volte, ma ci sono altri che si allenano come me. E diversi cani. Si divertono ad avvicinartisi furtivamente alle spalle e ad abbaiare all'improvviso.»

«Scommetto che fa bene al cuore.»

«È un esercizio in più», riconobbi. «Ma ci rinuncerei volentieri.»

«Dovrei ricominciare a camminare anch'io. Una volta mi piaceva molto.»

«Potresti venire con me.»

«Alle cinque e mezzo di mattina? Non ci penso proprio.»

Il suo tono era un misto di divertimento e incredulità. Sebbene un tempo si alzasse sempre presto, aveva perso l'abitudine da quando Leslie era andata via di casa.

«Hai avuto un'ottima idea», disse dopo un po'. «È una magnifica serata.»

«Davvero», concordai, guardandola. Camminammo in silenzio per qualche minuto, poi la vidi girare la testa verso una casa all'angolo.

«Hai saputo che Glenda ha avuto un infarto?»

Lei e suo marito abitavano lì e, pur non frequentando gli stessi ambienti, eravamo in buoni rapporti. A New Bern tutti sapevano tutto di tutti.

«Sì, mi dispiace.»

«Non era molto più vecchia di me.»

142

«Lo so», dissi. «Ma ho sentito che si è ripresa.»

Proseguimmo in silenzio ancora per un po', finché Jane d'un tratto chiese: «Ti capita mai di pensare a tua madre?»

Non sapevo bene come rispondere. Mia madre era morta in un incidente automobilistico due anni dopo che ci eravamo sposati. Sebbene non fossi legato a lei quanto Jane ai suoi, la sua improvvisa scomparsa mi aveva sconvolto. Avevo compiuto in uno stato di trance il viaggio di sei ore fino a Washington per raggiungere mio padre.

«A volte.»

«E quando succede, quale immagine ti torna in mente di lei?»

«Penso all'ultima l'ultima volta che siamo andati a trovarla», dissi. «Quando entrammo in casa la mamma ci venne incontro dalla cucina. Portava una camicetta a fiori rossi e sembrava davvero felice di vederci. Spalancò le braccia e ci strinse entrambi. È così che la ricordo. È un'immagine che non cambia mai, come una fotografia.»

Jane annuì. «Io rivedo sempre mia madre nel suo studio, con le dita macchiate di colore, impegnata a dipingere il ritratto di famiglia che voleva regalare a papà per il suo compleanno.» Fece una pausa. «Non ricordo esattamente che aspetto avesse quando cominciò a stare male. La mamma era così vivace. Gesticolava parlando e il suo viso si animava quando raccontava quello che le era successo... ma dopo l'Alzheimer, cambiò.» Mi lanciò un'occhiata. «Non è più stata quella di prima.»

«Lo so», dissi

«A volte ci penso, sai», disse a voce bassa. «Che possa venire anche a me.»

La capivo, perché anch'io ci avevo pensato.

«Non riesco a immaginare come sarebbe», proseguì Jane, «non riconoscere più Anna, Joseph o Leslie. Dover chiedere i loro nomi quando vengono a trovarmi, come faceva la mamma con me. Mi si spezza il cuore all'idea.»

La osservai in silenzio, nella luce fioca che filtrava dalle finestre.

«Mi chiedo se la mamma si rendesse conto di quanto sarebbero diventate gravi le sue condizioni», osservò. «Cioè, lei diceva di sì, ma mi domando se in fondo sapesse davvero che non avrebbe riconosciuto più nemmeno i suoi figli o papà.»

«Io credo che lo sapesse», obiettai. «È per questo che volle trasferirsi a Creekside.»

Chiuse gli occhi per un istante. Quando tornò a parlare, la sua voce era carica di frustrazione. «Mi è spiaciuto tanto che papà non sia voluto venire a stare da noi dopo la morte della mamma. Abbiamo un sacco di spazio.»

Anche stavolta non dissi niente. Avrei potuto spiegarle le ragioni che spingevano Noah a preferire Creekside a casa nostra, ma sapevo che non voleva ascoltarle. Del resto, le conosceva benissimo anche

144

lei e, se avessi cercato di difendere suo padre, avrei scatenato una discussione.

«Odio quel cigno», aggiunse.

Era una lunga storia, quella del cigno, e di nuovo preferii tacere.

Superammo un isolato, poi un altro. Alcuni dei nostri vicini avevano già spento le luci mentre noi due continuavamo a camminare, senza fretta e senza indugio. Quando fummo in vista di casa nostra, sapendo che la passeggiata stava per terminare, mi fermai e alzai gli occhi verso le stelle.

«Che cosa c'è?» mi chiese lei, seguendo il mio sguardo.

«Sei felice, Jane?»

Lei posò lo sguardo su di me. «Perché me lo chiedi?»

«Curiosità.»

Mentre aspettavo che mi rispondesse, mi chiedevo se avesse intuito la ragione della mia domanda. Non volevo sapere se fosse felice in generale, quanto se lo fosse con me in particolare.

Mi guardò a lungo, come se cercasse di leggermi nel pensiero.

«Veramente, c'è una cosa...»

«Sì?»

«Una cosa importante.»

Rimasi in attesa, mentre lei sospirava.

«Sarei davvero felice se tu riuscissi a trovare un servizio di catering», mi confessò.

A quelle parole non potei fare a meno di scoppiare a ridere.

A casa mi offrii di prepararle una tazza di caffè, ma Jane sbadigliò e dichiarò che stava morendo di sonno. La stanchezza degli ultimi due giorni cominciava a farsi sentire.

Lo so, avrei dovuto seguirla in camera, invece rimasi di sotto a ripensare alla serata appena trascorsa.

Più tardi, quando mi decisi ad andare a dormire, mi coricai sotto le coperte con il viso rivolto verso mia moglie. Aveva il respiro profondo e regolare, e i movimenti delle sue pupille sotto le palpebre indicavano che stava sognando. Non sapevo quale fosse il suo sogno, ma aveva un'espressione serena, come quella di un bambino. Rimasi a guardarla, combattuto tra il desiderio di svegliarla e quello di lasciarla riposare: la amavo più della mia stessa vita. Nonostante l'oscurità, vidi che una ciocca di capelli le era scivolata sulla guancia e allungai le dita per scostargliela. Aveva la pelle morbidissima, di una bellezza senza tempo. Mentre le spostavo il ciuffo dietro l'orecchio, ricacciai indietro le lacrime che, per qualche misterioso motivo, mi erano spuntate negli occhi.

Otto

Jane mi fissava a bocca aperta, la sera successiva, con la borsa ancora appesa al braccio.

«Ci sei riuscito?»

«Ebbene sì», risposi disinvolto, facendo del mio meglio per dare l'impressione che garantirsi un servizio di ristorazione fosse stata una faccenda da nulla. Anche se avevo camminato avanti e indietro per l'eccitazione mentre aspettavo il suo ritorno.

«Chi hai trovato?»

«Il *Chelsea*», risposi. Situato in centro, di fronte al mio studio, il ristorante era uno dei locali preferiti di Jane. Il menu era molto vario, i cuochi specializzati in salse e marinate esotiche. Il venerdì e il sabato sera era impossibile trovare posto senza prenotare e i clienti facevano a gara per scoprire gli ingredienti usati per creare sapori così originali.

Il *Chelsea* era noto anche per l'accompagnamento musicale. In un angolo c'era un pianoforte a coda e ogni tanto John Peterson – che aveva dato lezioni ad

Anna per anni – si sedeva a suonare e a cantare per gli avventori. Peterson era in grado di eseguire qualunque canzone a richiesta e abbastanza bravo da esibirsi anche nei ristoranti di Atlanta, Charlotte e Washington. Jane adorava ascoltarlo e il musicista era commosso dall'orgoglio quasi materno che nutriva per lui. Dopo tutto, era stata la prima in città a chiedergli di dare lezioni ai figli.

Ora Jane mi guardava davvero allibita. Nel silenzio della stanza, sentivo il ticchettio dell'orologio a muro, mentre lei cercava di decidere se avesse capito bene. «Ma... come hai fatto?» balbettò.

«Ho parlato con Henry, gli ho spiegato la situazione e lui ha detto che avrebbe provveduto.»

«Ma non capisco. Com'è possibile, così all'ultimo momento? Non avevano già qualche altra prenotazione?»

«Non ne ho idea.»

«Vuoi dire che hai alzato il telefono, lo hai chiamato e basta?»

«Ecco, in realtà non è stato così semplice, ma alla fine ha acconsentito.»

«E per il menu? Non ha voluto sapere quanti invitati ci saranno?»

«Gli ho detto che saremo un centinaio... mi pareva il numero giusto. E per il menu, ne abbiamo discusso e ci penserà lui. Se vuoi, posso chiamarlo e chiedergli qualcosa di particolare.»

«No, no», rispose lei. «Va bene così. Sai che mi piace tutto quello che preparano. È solo che non riesco ancora a crederci.» Mi guardò ammirata. «Ce l'hai fatta.»

«Sì.»

Mi sorrise, poi i suoi occhi si posarono sul telefono. «Devo dirlo ad Anna», esclamò. «Scommetto che ne sarà felicissima.»

Henry MacDonald, il proprietario del ristorante, è un mio vecchio amico. Il fatto che a New Bern la privacy non sia contemplata a volte ha i suoi vantaggi: dato che si incontrano regolarmente le stesse persone – a fare la spesa, in macchina, in chiesa, alle feste – si è radicata una tacita cortesia reciproca, che spesso rende possibili miracoli che altrove sarebbero irrealizzabili. Le persone si scambiano favori a vicenda, perché sanno che prima o poi servirà a loro chiedere un piacere, ed è questo che rende la città così diversa da tanti altri posti.

Questo non significa che non fossi soddisfatto per il risultato ottenuto. Mentre mi dirigevo in cucina udii Jane che parlava al telefono.

«Tuo padre ce l'ha fatta!» la sentii esclamare. «Non so come, ma c'è riuscito.» Provai una gioia profonda per l'orgoglio che traspariva nella sua voce.

Seduto al tavolo in cucina, passai in rassegna la posta che avevo ritirato. Fatture, cataloghi e l'ultimo numero del *Time*. Prevedevo che mia moglie sarebbe rimasta al telefono con la figlia per parecchio tempo. E invece, stranamente, riagganciò quasi subito.

«Aspetta», mi disse, «prima che ti metta a leggere il giornale, voglio sapere esattamente com'è andata.» Si sedette accanto a me. «Bene», cominciò, «così ci sarà Henry con un suo fantastico menu. E verrà qualcuno ad aiutarlo, giusto?»

«Senza dubbio», risposi. «Non può servire tutti da solo.»

«Che altro? Si tratterà di un buffet?»

«Pensavo di sì, viste le dimensioni della cucina.»

«Sono d'accordo», disse lei. «E per i tavoli e le tovaglie? Ci penseranno loro?»

«Sinceramente non gliel'ho chiesto, ma non credo che sarà un problema. Se necessario, potremo noleggiare tutto l'occorrente.»

Lei annuì, facendo progetti, aggiornando il suo elenco. «Bene...» riattaccò, e io la bloccai subito.

«Non preoccuparti. Lo richiamerò domattina per accertarmi che tutto venga fatto come si deve.» Poi le strizzai l'occhio. «Fidati di me.»

Jane riconobbe la frase che le avevo detto il giorno prima e mi sorrise civettuola. Mi aspettavo che quel momento di grazia passasse subito, invece restammo a guardarci negli occhi finché lei – quasi con esitazione – si sporse a baciarmi sulla guancia.

«Grazie di aver risolto il problema», disse.

Deglutii a fatica. «Figurati.»

Quattro settimane dopo che mi ero dichiarato a Jane, ci sposammo; cinque giorni dopo il matrimonio, rincasando dall'ufficio, la trovai ad aspettarmi seduta nel salotto del piccolo appartamento che avevamo preso in affitto.

«Dobbiamo parlare», mi disse, indicando il divano.

Posai la borsa e andai a mettermi accanto a lei. Mi prese la mano.

«È tutto a posto?» le chiesi.

«Sì, tutto a posto.»

«Allora che cosa c'è?»

«Mi ami?»

«Sì», risposi. «Certo che ti amo.»

«Allora faresti una cosa per me?»

«Se posso. Sai che farei qualunque cosa per te.»

«Anche se fosse difficile? Se non ti andasse?»

«Ma certo.» Feci una pausa, poi chiesi: «Jane, vuoi dirmi che succede?»

Fece un profondo respiro prima di rispondere: «Voglio che tu venga in chiesa con me domenica prossima».

Le sue parole mi lasciarono spiazzato e lei ne approfittò per continuare. «So che non desideri andarci, so come sei stato allevato, ma voglio che lo faccia per me. Io ci tengo molto, anche se tu non senti di far parte della comunità.»

«Jane... io...» provai a dire.

«Ho bisogno di te lì», mi interruppe.

«Ne abbiamo già parlato», protestai, ma lei scosse il capo.

«Lo so. E capisco che non sei stato cresciuto come

me. Ma non c'è nulla di più importante di questo semplice gesto che potresti fare.»

«Anche se non credo?»

«Anche se non credi.»

«Ma...»

«Non ci sono ma», tagliò corto lei. «Non in questo caso. Non con me. Io ti amo, Wilson, e so che anche tu mi ami. E se vogliamo che il nostro matrimonio funzioni, dobbiamo essere pronti a cedere su qualcosa entrambi. Non ti chiedo di credere, solo di venire in chiesa con me. Essere sposati significa scendere a compromessi per amore dell'altro. Come ho fatto io con le nozze.»

Serrai le labbra, sapevo benissimo qual era la sua opinione sul nostro matrimonio civile.

«E va bene», cedetti, «ci verrò.» Al che, Jane mi diede un bacio, etereo come il paradiso stesso.

Mentre le labbra di Jane sfioravano la mia guancia, lì in cucina, era improvvisamente riemerso il ricordo di quel bacio di tanto tempo prima. Ripensai ai teneri riavvicinamenti che in passato erano serviti a superare le nostre divergenze.

In cuor mio nutro la convinzione che sia stata proprio la dedizione reciproca a permetterci di restare sposati così a lungo. Di colpo, mi resi conto che era proprio questo aspetto del nostro matrimonio ad avermi angustiato l'anno precedente. Avevo cominciato a dubitare, non solo dell'amore di Jane nei miei confronti, ma anche della sua volontà di amarmi.

Del resto, c'erano state delusioni, tante occasioni mancate: gli anni in cui rincasavo tardi, dopo che i bambini erano già a letto; le sere in cui non parlavo d'altro che di lavoro; le partite, le feste, le vacanze in famiglia che avevo mancato; i fine settimana trascorsi con colleghi e clienti sul campo da golf. A pensarci bene, dovevo essere stato un marito assente, l'ombra del giovanotto innamorato che lei aveva deciso di sposare. Eppure, con quel bacio, anche ora Jane sembrava volermi manifestare la sua volontà di riprovarci, se anch'io ero disposto a farlo.

«Wilson? Ti senti bene?» mi chiese lei, vedendomi assorto.

Mi sforzai di sorridere. «Sì.» Feci un profondo respiro, ansioso di cambiare argomento. «Allora, com'è andata la vostra giornata? Avete scelto il vestito?»

«No. Siamo state in un paio di negozi, ma Anna non ha trovato niente che le piacesse. Non credevo ci volesse tanto... cioè, è così magra che dovevano stringerle addosso gli abiti puntandoli con gli spilli, per poter avere almeno un'idea di come le stavano. Domani torneremo alla carica. In compenso, Keith ha detto che si occuperà di tutti i preparativi per quanto riguarda i suoi parenti. A proposito, ti sei ricordato di prenotare il volo per Joseph?»

«Certo», risposi. «Arriverà venerdì sera.»

«New Bern o Raleigh?»

153

«New Bern, alle otto e mezzo. Leslie è riuscita a venire con voi, oggi?»

«No. Ci ha avvisato mentre eravamo già per strada. Era impegnata con delle ricerche di laboratorio, però ci accompagnerà domani. Secondo lei, ci sono dei negozi interessanti anche a Greensboro, se vogliamo provare.»

«E ci andrete?»

«Sono tre ore e mezzo di viaggio», sospirò Jane. «Sinceramente non mi va di restare in macchina tutto quel tempo.»

«Perché non vi fermate lì a dormire, allora?» proposi. «In questo modo potrete vedere i negozi in tutt'e due i posti.»

Lei fece un altro sospiro. «È quello che ha detto anche Anna. Vorrebbe tornare a Raleigh domani e andare a fare un giro a Greensboro mercoledì. Ma non mi va di lasciarti solo.»

«Non preoccuparti per me», la rassicurai. «Adesso che abbiamo risolto la questione del ricevimento, siamo quasi a cavallo. Posso occuparmi io di quello che è rimasto in sospeso, qui. Il vestito della sposa è una faccenda molto più importante.»

Mi lanciò un'occhiata scettica. «Ne sei sicuro?»

«Assolutamente. Anzi, potrei approfittare della tua assenza per concedermi qualche tiro sul campo da golf.»

Lei sbuffò. «Scordatelo.»

«Ma il mio handicap?» protestai, fingendomi contrariato.

«Senti, dopo trent'anni che giochi non sei granché migliorato, quindi non è destino.»

«Cos'è questa, un'offesa?»

«No, una semplice constatazione. Ti ho visto all'opera, sai?»

Non potevo darle torto. Nonostante gli anni passati a esercitarmi, non sono diventato certo un giocatore provetto. Guardai l'ora.

«Ti va di uscire a mangiare un boccone?» proposi.

«Come? Non hai cucinato niente stasera?»

«Ci sono solo gli avanzi. Non ho avuto tempo di fare la spesa.»

«Scherzavo», disse lei. «Non mi aspetto mica che cucini sempre tu, anche se devo ammettere che mi fa piacere.» Sorrise. «Esco volentieri. Ti confesso che ho un certo appetito. Dammi solo un minuto per prepararmi.»

«Ma stai benissimo così», replicai.

«Un minuto», mi gridò dal corridoio.

Conoscevo Jane, e sapevo che i suoi «minuti» sfioravano in genere la mezzora. Avevo imparato a ingannare l'attesa con attività che mi distraevano senza richiedere grande impegno mentale. Per esempio, mettevo in ordine la mia scrivania nello studio, oppure regolavo l'amplificatore dello stereo dopo che lo avevano usato i ragazzi.

Questi innocui passatempi assorbivano tutta la mia attenzione e spesso, quando rialzavo gli occhi trovavo mia moglie lì in piedi a osservarmi con le mani sui fianchi.

«Sei pronta?» le chiedevo allora.

«Eccome», replicava lei sbuffando. «Sono dieci minuti che aspetto che tu finisca.»

«Oh, scusa», ribattevo. «Prendo le chiavi e andiamo.»

«Non dirmi che le hai perse.»

«No, certo che no», rispondevo, tastandomi le tasche e scoprendo di non averle con me. Poi, guardandomi intorno, aggiungevo subito: «Sono sicuro che devono essere qui in giro. Le avevo un minuto fa».

A questo punto lei alzava gli occhi al cielo.

Quella sera, invece, afferrai il *Time* e mi diressi al divano. Lessi qualche articolo, poi sentii i passi di Jane al piano di sopra e posai la rivista. Mi stavo chiedendo dove potevamo andare, quando squillò il telefono.

Mentre ascoltavo la voce ansiosa all'altro capo del filo, tutto il mio entusiasmo per la nostra cena sfumò e fui assalito da un senso di angoscia. Jane mi raggiunse mentre riagganciavo.

Vedendo la mia espressione, si bloccò.

«Che cosa è successo?» chiese. «Chi era?»

«Kate», mormorai, «sta andando all'ospedale.»

Jane si portò una mano alla bocca.

«Si tratta di Noah», dissi.

Nove

Durante il tragitto verso l'ospedale, Jane aveva gli occhi pieni di lacrime. Abbandonando la mia usuale prudenza al volante, schiacciai a fondo l'acceleratore e passai diverse volte con il giallo, oppresso da una pena crescente.

Al pronto soccorso la scena assomigliava molto a quella della primavera precedente, quando Noah aveva avuto l'ictus. Nell'aria aleggiava l'odore di ammoniaca e disinfettante, e la luce al neon gettavano una luce fredda sull'affollata sala d'attesa.

Lungo le pareti della stanza erano sistemate sedie di metallo, in gran parte occupate da gruppetti di due o tre persone che parlavano a bassa voce, mentre una fila di gente in coda si snodava dal banco dell'accettazione.

La famiglia di Jane si era radunata accanto alla porta. Kate, pallida e nervosa, stava in piedi vicino al marito, Grayson, un tipico coltivatore di cotone con la tuta, gli stivaloni impolverati e il volto spigoloso pieno di rughe. David, il fratello minore di mia moglie, era accanto a loro e teneva il braccio sulle spalle della moglie Lynn.

Vedendoci, Kate ci corse incontro con le guance rigate di lacrime. Le due sorelle si abbracciarono.

«Che cosa gli è successo?» domandò Jane, angosciata. «Come sta?»

L'altra rispose con voce rotta. «È caduto vicino al laghetto. Nessuno se n'è accorto, ma quando l'infermiera l'ha trovato era semisvenuto. Deve aver battuto la testa. L'ambulanza l'ha portato qui una ventina di minuti fa. Adesso il dottor Barnwell lo sta visitando. Non sappiamo altro.»

Jane si abbandonò tra le braccia della sorella. David e Grayson le guardavano con un'espressione grave, mentre Lynn, a braccia conserte, si dondolava nervosamente sui talloni.

«Quando potremo vederlo?»

Kate scrollò il capo. «Non so. Le infermiere qui continuano a dirci di aspettare il dottor Barnwell. Credo che ci faranno sapere qualcosa appena possibile.»

«Ma se la caverà, vero?»

La sorella non rispose.

«Se la caverà», insistette Jane.

«Oh, cara… Non lo so. Nessuno sa niente.»

Per un attimo rimasero abbracciate in silenzio.

«Dov'è Jeff?» chiese infine Jane, riferendosi al fratello. «Viene anche lui, vero?»

«Sì, finalmente sono riuscito a contattarlo», la

informò David. «Passa da casa a prendere Debbie e ci raggiunge.»

Poi i tre si abbracciarono stretti, come per concentrare le loro energie.

Poco dopo arrivò Jeff con la moglie. Venne sommariamente informato della situazione e sul suo viso comparve la stessa espressione di sgomento dei fratelli.

Con il passare dei minuti, ci dividemmo in due gruppi: da una parte i figli di Allie e di Noah, dall'altra i loro coniugi. Pur volendo molto bene a mio suocero e amando profondamente mia moglie, avevo capito già da tempo che in certi momenti Jane aveva più bisogno dei fratelli che di me. Io le sarei stato di sostegno in seguito.

Lynn, Grayson, Debbie e io avevamo già vissuto esperienze simili: sei anni prima, per esempio, quando Noah aveva avuto un infarto e poi quando era morta Allie. E mentre gli espansivi Calhoun avevano i loro rituali, con abbracci, preghiere e ripetizione incessante di ansiose domande, il nostro gruppo appariva più stoico. Grayson era sempre stato un tipo taciturno, come me. Quando era nervoso infilava le mani nelle tasche e giocherellava con le chiavi. Lynn e Debbie – pur accettando il fatto che i mariti stessero vicino alle sorelle in circostanze simili – sembravano disorientate nei momenti di crisi e preferivano mettersi da parte a parlare tra loro a voce bassa. Da parte mia, invece, cercavo sempre di rendermi utile in maniera concreta: un modo efficace per tenere a bada le emozioni.

Notando che la fila allo sportello dell'accettazione era terminata, mi avvicinai. Un attimo dopo l'infermiera alzò lo sguardo da una pila di documenti e, con aria sfinita, mi domandò di che cosa avessi bisogno.

«Mi chiedevo se poteva darmi qualche informazione sulle condizioni di Noah Calhoun. È stato portato qui una mezzora fa.»

«Il medico non è ancora venuto a parlare con voi?»

«No. E i famigliari sono piuttosto sconvolti.»

Indicai il gruppetto dei fratelli e l'infermiera seguì il mio sguardo.

«Sono sicura che il dottore ha quasi finito.»

«Sì, ma non c'è modo di sapere quando potremo vedere il paziente? O come sta?»

Per un attimo pensai che non intendesse aiutarmi, invece rivolse un'altra occhiata alla famiglia in ansia ed emise un sospiro.

«Be', mi lasci qualche minuto per compilare questi moduli, poi andrò a sentire, d'accordo?»

Grayson mi raggiunse, le mani in tasca. «Tutto a posto?»

«Credo di sì», risposi.

Annuì, facendo tintinnare le chiavi.

«Vado a sedermi», disse infine. «Chissà per quanto tempo dovremo aspettare.»

Ci accomodammo sulle sedie disposte lungo la parete. Pochi minuti più tardi arrivarono anche Keith e Anna. Il ragazzo rimase con noi, mentre mia figlia andò dalla madre. Vestita di nero, sembrava già pronta per il funerale.

L'attesa è sempre la parte peggiore in queste situazioni. Non succede nulla, mentre alla mente già si affacciano i più tetri presentimenti, come se volesse prepararsi al peggio. Nel silenzio carico di tensione che ci circondava, sentivo il battito accelerato del mio cuore e avevo la gola secca.

Mi accorsi che l'infermiera dell'accettazione aveva lasciato il suo posto e mi augurai che fosse andata a informarsi su Noah. Con la coda dell'occhio scorsi Jane che si avvicinava. Mi alzai, offrendole il braccio.

«Quanto odio quest'attesa», disse lei.

«Lo so. La odio anch'io.»

Dietro di noi entrò una coppia con tre bambini che piangevano. Ci spostammo per lasciarli passare e, quando giunsero al bancone vidi l'infermiera uscire dalla porta dell'ambulatorio. Fece cenno ai nuovi arrivati di aspettare e si diresse verso di noi.

«Ha ripreso conoscenza», disse, «ma è ancora un po' stordito. Le funzioni vitali sono buone. Probabilmente lo porteranno in reparto tra un'ora.»

«Allora si rimetterà?»

«Non è previsto il suo trasferimento in terapia intensiva, se è questo che volete sapere», spiegò. «Probabilmente, però, dovrà restare sotto osservazione per qualche giorno.»

Ci fu un mormorio di sollievo.

«Possiamo vederlo?» domandò Jane.

«Non tutti insieme. Non c'è abbastanza posto e il dottore pensa sia meglio lasciarlo riposare. Per ora può entrare un solo parente, a patto che non si trattenga troppo a lungo.»

Sembrava ovvio che toccasse a Jane o a Kate, ma l'infermiera proseguì: «Chi è Wilson Lewis?»

«Sono io», risposi.

«Venga con me. Gli stanno mettendo la flebo e sarebbe meglio che lo vedesse prima che si assopisca.»

Mi sentii addosso gli sguardi di tutta la famiglia. Credevo di aver intuito la ragione per cui voleva vedermi, ma alzai la mano per protestare.

«Forse dovrebbe entrare una delle figlie», suggerii.

L'infermiera scrollò il capo.

«Ha chiesto espressamente di lei.»

Jane mi rivolse un breve sorriso di incoraggiamento e nel suo sguardo vidi riflesso il sentimento comune agli altri. Curiosità, certo. E sorpresa. Nel suo caso c'era anche una specie di sottile senso di tradimento, come se sapesse benissimo perché lui aveva scelto proprio me.

Noah era a letto con due flebo infilate nelle braccia ed era collegato a un apparecchio che monitorava il battito cardiaco. Teneva gli occhi socchiusi, ma girò la testa sul cuscino quando l'infermiera richiuse la tenda alle nostre spalle. Udii i passi allontanarsi e noi due rimanemmo soli.

Lo guardai: sembrava piccolo piccolo in quel lettone e aveva l'incarnato cereo. Avvicinai una sedia al suo capezzale.

«Ciao, Noah.»

«Ciao, Wilson», disse debolmente. «Grazie di essere venuto.»

«Come va?»

«Potrebbe andare meglio.» Mi rivolse l'ombra di un sorriso. «Ma anche peggio.»

Gli presi la mano. «Che cosa è successo?»

«Una radice sporgente», rispose. «Ci sono passato vicino migliaia di volte, ma stavolta è balzata fuori e mi ha afferrato il piede.»

«E hai battuto la testa?»

«La testa, il corpo, tutto. Sono cascato giù come un sacco di patate, ma per fortuna non mi sono rotto niente. Mi sento solo un po' frastornato. Il dottore ha detto che dovrei rimettermi in piedi tra un paio di giorni. Gli ho risposto: 'Bene, perché sabato devo partecipare a un matrimonio'.»

«Non preoccuparti di quello. Pensa solo a guarire.»

«Mi rimetterò. Mi resta ancora un po' di tempo.»

«Sarà meglio.»

«Come stanno Kate e Jane? Scommetto che saranno preoccupate da morire.»

«Lo sono tutti. Me compreso.»

«Già, ma tu non mi fissi con quegli occhi compassionevoli, piangendo a ogni sillaba che mi esce di bocca.»

«Lo faccio quando non mi guardi.»

Sorrise. «Non sei così. A turno, le mie figlie resteranno qui ventiquattr'ore al giorno finché non esco, a rimboccarmi le coperte e sistemarmi i cuscini. Sembrano due chiocce. So che mi sono affezionate, ma tutte quelle premure mi fanno diventare matto. L'ultima volta che mi hanno ricoverato, non sono riuscito a restare solo per più di un minuto. Non potevo nemmeno andare al gabinetto senza essere accompagnato da una di loro, che poi mi aspettava fuori dalla porta.»

«Avevi bisogno di aiuto. Non riuscivi a camminare da solo, ricordi?»

«Un uomo ha bisogno anche della sua dignità.»

Gli strinsi la mano. «Rimarrai sempre l'uomo più dignitoso che abbia mai conosciuto.»

Mi fissò, e la sua espressione si intenerì. «Mi ronzeranno intorno non appena mi vedono, sai. Chiocciando indaffarate, come sempre.» Sorrise malizioso. «Potrei anche divertirmi un po'.»

«Non te la prendere, Noah. Si comportano in quel modo perché ti vogliono bene.»

«Lo so. Però non devono trattarmi come un bambino.»

«Non lo faranno.»

«Sì, invece. Perciò, perché non dici loro che secondo te ho bisogno di riposo? Siamo d'accordo? Se dicessi che sono stanco ricomincerebbero subito a preoccuparsi.»

Sorrisi. «D'accordo, allora.»

Per un attimo restammo in silenzio. L'apparecchio del monitoraggio cardiaco pulsava con ritmo regolare, rassicurante nella sua monotonia.

«Sai perché ho chiesto di te, anziché di uno dei miei figli?» mi chiese dopo un po'.

Annuii mio malgrado. «Vuoi che vada a Creekside, giusto? A dare da mangiare al cigno come ho fatto la scorsa primavera.»

«Ti spiacerebbe farlo?»

«Niente affatto. Mi fa piacere esserti utile.»

Lui mi guardò con l'aria stanca e implorante. «Non avrei potuto chiedertelo di fronte agli altri. Si agitano appena ne parlo. Per loro significa che sto perdendo la testa.»

«Lo so.»

«Ma sai anche che non è così, vero, Wilson?»

«Sì.»

«Perché tu mi credi. Oggi era lì, quando sono rinvenuto. Era china sopra di me, per accertarsi che stessi bene, e l'infermiera ha dovuto scacciarla. È rimasta a vegliarmi per tutto il tempo.»

Sapevo che cosa voleva sentirsi dire da me, ma non trovai le parole adatte. Mi limitai a sorridere. «Quattro fette di pancarré al mattino e tre al pomeriggio, giusto?»

Noah mi strinse la mano, costringendomi a guardarlo di nuovo.

«Tu mi credi, vero, Wilson?»

Rimasi in silenzio. Lui mi capiva meglio di chiunque altro ed era inutile cercare di nascondergli la verità. «Non lo so», ammisi infine.

A questa risposta nei suoi occhi comparve un'espressione delusa.

Un'ora più tardi Noah venne trasferito in una camera al secondo piano, dove i famigliari poterono andare a fargli visita.

Jane e Kate entrarono nella stanza mormorando all'unisono: «Oh, papà». Dietro di loro arrivarono Lynn e Debbie, seguite da David e Jeff, che si misero dall'altro lato. Grayson si fermò ai piedi del letto, mentre io rimasi in disparte.

Come lui aveva previsto, lo soffocarono di attenzioni. Chi gli prese la mano, chi gli sistemò le coperte, chi gli sollevò il cuscino. Lo esaminarono, lo toccarono, lo accarezzarono, lo abbracciarono e lo baciarono. Senza mai smettere di parlare e di bersagliarlo di domande.

Il primo a interpellarlo fu Jeff. «Sei sicuro di stare bene? Il dottore ha detto che è stata una brutta caduta.»

«Sto bene. A parte un bernoccolo in testa, sono solo un po' stanco.»

«Mi hai fatto spaventare da morire», dichiarò Jane. «Ma sono tanto felice di vedere che ti sei ripreso.»

«Anch'io», le fece eco David.

«Non avresti dovuto stare là fuori da solo, se ti girava la testa», lo rimproverò Kate. «La prossima volta aspetta che qualcuno venga a prenderti.»

«Lo hanno fatto comunque», ribatté Noah.

«Non sei rimasto per terra troppo tempo, vero?» gli chiese Jane. «Tremo all'idea che non ti abbiano trovato subito.»

Noah scrollò il capo. «No, un paio d'ore, credo.»

«Due ore!» esclamarono Jane e Kate, scambiandosi un'occhiata scandalizzata.

«Forse qualcosina in più. Difficile dirlo, perché le nuvole coprivano il sole.»

«Di più?» disse Jane serrando i pugni.

«Ed ero anche bagnato. Deve aver piovuto, oppure era entrato in funzione l'irrigatore automatico.»

«Potevi morire!» singhiozzò Kate.

«Ma no, la situazione non era così grave. Un po' di brutto tempo non ha mai fatto male a nessuno. Il peggio è stato il procione che ho trovato lì al mio risveglio. Mi guardava con degli occhi... ho temuto che avesse la rabbia. Poi si è avvicinato.»

«Sei stato aggredito da un procione?» Jane impallidì come se fosse sul punto di svenire.

«Non proprio. L'ho scacciato prima che potesse mordermi.»

«Ha cercato di morderti!»

«Ma non è stato niente. Ho già affrontato dei procioni in vita mia.»

Kate e Jane si scambiarono uno sguardo terrorizzato, poi si girarono verso i fratelli. Per un attimo il silenzio regnò sulla famiglia sbigottita, finché Noah sorrise. Puntò l'indice verso di loro e strizzò l'occhio. «Ve l'ho fatta.»

Mi portai la mano alla bocca, per soffocare una risata. Di fianco a me anche Anna si sforzava di restare seria.

«Non devi prenderci in giro così!» sbottò Kate, tamburellando sul lato del letto.

«Ha ragione, papà, non è carino», aggiunse Jane.

Gli occhi di Noah lampeggiavano divertiti. «Ho dovuto farlo. Mi ci avete costretto con le vostre sciocche domande. La verità è che mi hanno soccorso dopo un paio di minuti. E sto bene. Volevo venire in ospedale in macchina, ma mi hanno obbligato a prendere l'ambulanza.»

«Non puoi guidare. La patente ti è scaduta da un sacco di tempo.»

«Non significa che mi sia dimenticato come si fa. E la macchina è ancora nel parcheggio.»

Capii che Jane e Kate stavano già pensando di togliergli le chiavi.

Jeff si schiarì la gola. «Ti procurerò uno di quei salvavita che si portano al polso. Così, se dovesse succederti di nuovo, potrebbero venire subito a soccorrerti.»

«Non mi serve. Sono solo inciampato in una radice sporgente. Non avrei avuto il tempo di premere il pulsante mentre cadevo e, quando sono rinvenuto l'infermiera era già arrivata.»

«Parlerò con il direttore», disse David. «Se non

provvederà lui, ci penserò io stesso a tagliare quella radice.»

«Ti darò una mano», intervenne Grayson.

«Non è colpa sua se con l'età sono diventato goffo. Mi rimetterò in piedi tra un paio di giorni e sarò come nuovo per il fine settimana.»

«Non preoccuparti per questo», lo tranquillizzò Anna. «Pensa solo a guarire, va bene?»

«E non avere fretta», aggiunse Kate. «Ci hai fatto preoccupare.»

«Da morire», ripeté Jane.

Sorrisi tra me. Noah aveva ragione: sembravano chiocce.

«Starò bene», insistette Noah. «Non rinviate il matrimonio per causa mia. Ho tutta l'intenzione di venirci, e non crediate che una botta in testa basti a impedirmelo.»

«Adesso questo non ha importanza», obiettò Jeff.

«Ha ragione, nonno», concordò Anna.

«Non pensateci nemmeno», insistette Noah.

«Non dire così, papà», disse Kate. «Resterai ricoverato qui per tutto il tempo necessario a guarire.»

«Starò bene. Voglio solo che mi promettiate che non cambierete i programmi. Aspetto con ansia questo evento.»

«Non essere testardo», lo supplicò Jane.

«Quante volte ve lo devo ripetere? Per me è molto importante. Non capita tutti i giorni di assistere a un matrimonio da queste parti.» Capendo di non poter ottenere niente dai figli, si rivolse ad Anna. «Tu capisci quello che voglio dire, vero?»

Lei esitò. Nel silenzio, i suoi occhi si posarono su di me prima di tornare a guardarlo. «Certo che capisco, nonno.»

«Allora tutto procederà come previsto, vero?»

Istintivamente, Anna prese per mano Keith.

«Se è quello che vuoi», rispose soltanto.

Noah sorrise, visibilmente sollevato. «Grazie», mormorò.

Jane gli riassettò il letto. «Allora dovrai aver cura di te stesso questa settimana», disse. «E stare più attento in futuro.»

«Non preoccuparti, papà», promise David. «Farò togliere quella radice prima del tuo ritorno.»

Il discorso tornò sulla caduta di Noah. Anche se i figli si guardarono bene dall'accennare al motivo per cui lui si trovava al laghetto.

Ma, del resto, nessuno di loro aveva mai voluto parlare del cigno.

Quella storia risaliva a circa cinque anni prima. Allie se n'era andata da un mese e Noah era invecchiato di colpo. Usciva di rado dalla sua camera: preferiva restare seduto allo scrittoio a rileggere le lettere che lui e la moglie si erano scritti nel corso degli anni, o a sfogliare la sua copia di *Foglie d'erba*.

Noi ovviamente tentavamo in tutti i modi di distrarlo e, ironia della sorte, fui proprio io a condurlo sulla panchina in riva al lago. Quella mattina fu la prima volta che vedemmo il cigno.

Lo guardammo scivolare elegantemente sull'acqua, e a un certo punto nuotò verso di noi come se fosse in cerca di cibo.

«Avrei dovuto portare del pane», disse Noah.

«Lo faremo la prossima volta», risposi io distrattamente.

Due giorni dopo tornai a fargli visita e rimasi sorpreso di non trovarlo in camera. Lo vidi in giardino seduto sulla panchina di fronte al laghetto, con in mano una fetta di pane. Quando mi avvicinai a lui, il cigno parve studiarmi, senza manifestare alcun timore.

«Sembra che tu abbia un nuovo amico», commentai.

«Già.»

«Pancarré?» chiesi.

«È quello che le piace di più.»

«Come fai a sapere che è una femmina?»

Noah sorrise. «Lo so e basta», disse, e fu così che tutto ebbe inizio.

Da allora ha nutrito regolarmente il cigno. Si è seduto su quella panchina sotto la pioggia o con il sole a picco e, con il passare degli anni, ha cominciato a trascorrere sempre più tempo lì, osservando il cigno e parlandogli sottovoce.

Un giorno gli domandai perché andasse spesso al laghetto. Immaginavo lo trovasse rilassante.

«Vengo qui perché lo vuole lei», mi rispose invece.

«Il cigno?» domandai.

«No», mi disse. «Allie.»

Al sentire quel nome, mi irrigidii. «Allie vuole che tu dia da mangiare al cigno?»

«Sì.»

«Come fai a saperlo?»

Lui mi guardò, facendo un sospiro. «Perché è lei», rispose.

«Chi?»

«Il cigno.»

Scrollai la testa, perplesso. «Non sono sicuro di capire quello che vuoi dirmi.»

«Allie», ripeté. «Ha trovato il modo di tornare da me, come aveva promesso. Mi è bastato cercarla.»

Ecco che cosa intendevano i dottori quando sosteneneva che Noah soffriva di allucinazioni.

Rimanemmo in ospedale per un'altra mezzora. Il dottor Barnwell disse che ci avrebbe telefonato la mattina seguente, dopo il suo giro in reparto, per tenerci informati. Era molto affezionato alla nostra famiglia e si prendeva cura di Noah come se fosse stato suo padre. Guardai mio suocero e, ricordando la promessa fatta, dichiarai che ora era meglio lasciarlo riposare un po'. Mentre uscivamo ci accordammo per andare a trovarlo a turno, quindi ci salutammo nel parcheggio. Un attimo dopo Jane e io ci ritrovammo da soli, a guardare gli altri che si allontanavano.

Gli occhi velati e la sua schiena curva tradivano la fatica; provai per lei un senso di grande tenerezza.

«Tutto bene?» le chiesi.

«Credo di sì.» Sospirò. «Ho visto che è abbastanza in forma, ma non riesce a capire che ha quasi novant'anni. Non riuscirà a rimettersi in piedi tanto in fretta come crede.» Chiuse gli occhi per un attimo e compresi che stava pensando anche ai preparativi per le nozze.

«Non hai intenzione di chiedere ad Anna di rimandare il matrimonio, vero? Dopo quello che ha detto tuo padre?»

Jane scrollò la testa. «Ci avrei provato, ma lui è stato così categorico. Spero solo che non abbia insistito perché sa...»

Lasciò la frase a metà. Capii esattamente che cosa stava per dire.

«Che non gli resta più molto tempo», proseguì. «E che questo sarà l'ultimo grande avvenimento della sua vita.»

«Lui non lo pensa affatto. E gli restano ancora molti anni.»

«Come fai a esserne tanto sicuro?»

«È in buone condizioni di salute, per la sua età. Soprattutto a paragone dei coetanei nella casa di riposo, che non escono mai dalla camera e passano le giornate a guardare la televisione.»

«Già, e invece lui non fa altro che starsene in riva al laghetto a guardare quello stupido cigno. Come se non ci fosse niente di meglio.»

«Così è felice», ribattei.

«Ma non è giusto», obiettò lei energicamente. «Non te ne rendi conto? La mamma non c'è più. E quel cigno non ha niente a che fare con lei.»

Rimasi in silenzio.

«È pazzesco», riprese Jane. «Dargli da mangiare è una cosa, ma essere convinto che la mamma sia in qualche modo tornata da lui non ha senso.» Incrociò le braccia. «Sai, ho visto che gli parla, come se credesse sul serio che il cigno possa capirlo. Anche Kate e David lo hanno sorpreso a farlo. E deve essere successo pure a te.»

Mi lanciò un'occhiata accusatoria.

«È vero», ammisi. «L'ho sentito anch'io.»

«E un atteggiamento del genere non ti preoccupa?»

«Io credo», dissi, scegliendo con cura le parole, «che in questo momento Noah abbia bisogno di ritenerlo possibile.»

«Ma perché?»

«Perché sente moltissimo la sua mancanza.»

A quelle parole, vidi il suo mento tremare. «Anche a me manca la mamma», disse. Ma entrambi sapevamo benissimo che non era la stessa cosa.

Nonostante la stanchezza, nessuno dei due aveva voglia di tornare a casa. A un certo punto Jane dichiarò che stava «morendo di fame» e decidemmo di fermarci a mangiare al *Chelsea*.

174

Ancor prima di entrare, udii le note di una canzone. John Peterson stava suonando il piano e anche quella sera il locale era affollato.

Ci accomodammo a un tavolo al piano di sopra, lontano dalla musica e dalla confusione, in una saletta quasi vuota. Dopo aver bevuto qualche sorso di vino, mia moglie sembrò rilassarsi un po'.

«Che cosa vi siete detti tu e papà quando eravate soli?» mi chiese, mentre era impegnata a gustare l'antipasto di pesce.

«Non molto», risposi. «In gran parte mi ha detto le stesse cose che ha detto anche a voi.»

Jane mi guardò scettica. «In gran parte? E che altro?»

«Vuoi saperlo davvero?»

Lei posò la forchetta sul piatto. «Ti ha chiesto di nuovo di dare da mangiare al cigno, vero?»

«Sì.»

«E lo farai?»

«Sì», risposi. Vedendo la sua espressione, mi affrettai ad aggiungere: «Ma non fraintendermi, non credo alla storia di Allie. Voglio solo accontentarlo, e poi scommetto che, dopo tutto questo tempo, quel cigno non è più capace di procurarsi il cibo da solo».

Lei mi guardò scettica.

«La mamma odiava il pancarré, sai. Non lo avrebbe mai mangiato. Le piaceva preparare il pane in casa.»

Fortunatamente, l'arrivo del cameriere mi risparmiò ulteriori discussioni in proposito. Seguendo il filo dei suoi pensieri, Jane gli chiese se l'antipasto di pesce era previsto anche nel servizio di catering.

A quella domanda lo sguardo del cameriere si illuminò, ci aveva riconosciuto.

«Siete voi che avete in programma il matrimonio?» domandò. «A casa del vecchio Calhoun, sabato prossimo?»

«Sì, infatti», rispose Jane raggiante.

«Capisco. I nostri cuochi sono già al lavoro per quell'avvenimento.» L'uomo sorrise. «È un piacere conoscervi. Adesso vi porto il menu completo.»

Non appena se ne fu andato, Jane si sporse verso di me.

«In un certo senso, ora mi sento più tranquilla.»

«Te l'avevo detto di non preoccuparti.»

Lei svuotò il bicchiere. «Visto che mangeremo all'aperto, allestiranno un gazebo?»

«Perché non teniamo il ricevimento in casa?» suggerii. «Mentre seguo i lavori in giardino, potrei farla pulire da un'impresa. Ci resta ancora qualche giorno e sono sicuro di riuscire a trovare qualcuno.»

«Possiamo tentare», rispose lei non troppo convinta. «Ma ci sarà parecchia polvere in giro, sono anni che è chiusa.»

«È vero, comunque farò qualche telefonata. E vediamo che cosa riesco a combinare», insistetti.

«Continui a dire così.»

«Continuo ad avere un sacco di cose da fare», ribattei e lei rise di cuore. Dalla finestra alle sue spalle vedevo il mio studio: notai che la luce nell'ufficio di

176

Saxon era ancora accesa. Evidentemente si stava occupando di qualche pratica urgente, pensai, perché in genere non si tratteneva fino a tardi. Jane si accorse che stavo guardando in quella direzione.

«Senti già la mancanza del lavoro?» mi chiese.

«No», risposi, «è bello starsene lontano per un po'».

Lei mi fissò con attenzione. «Dici sul serio?»

«Ma certo.» Mi toccai la polo. «Non doversi mettere in giacca e cravatta tutti i giorni.»

«Scommetto che ti eri dimenticato di com'era, vero? Da quanto tempo non ti prendevi una vacanza come si deve... otto anni?»

«In effetti, sì.»

«Ogni tanto avevi qualche giorno di ferie, ma l'ultima tua vacanza di una settimana intera è stata nel 1995. Ricordi? Portammo i ragazzi in Florida, subito dopo che Joseph aveva fatto la maturità.»

Annuii, serio: quello che un tempo ritenevo una virtù adesso mi appariva un grosso errore.

«Mi spiace», dissi.

«Di cosa?»

«Di non aver fatto altre vacanze. Non è stato giusto verso di te, né verso la famiglia. Avrei dovuto passare più tempo con te e i ragazzi.»

«Non importa», tagliò corto lei con un gesto della mano. «Non è così grave.»

«Invece sì», replicai. Sapevo che il mio attaccamento al lavoro era sempre stato un punto dolente

177

per Jane. Approfittando del fatto che avevo la sua attenzione, continuai.

«Era importante. E mi spiace anche di aver lasciato che il lavoro mi distraesse da tanti avvenimenti, quando i ragazzi erano più piccoli. Come le loro feste di compleanno. Non ricordo più neppure quante me ne sono perse perché c'erano riunioni che non volevo rimandare. E ho trascurato molte altre cose che li riguardavano: le partite di pallavolo e gli incontri di atletica, i concerti di pianoforte e le recite scolastiche... È un miracolo che i miei figli mi abbiano perdonato e mi vogliano ancora bene.»

Lei annuì senza replicare. D'altronde, non c'era niente da aggiungere. Feci un profondo respiro e mi lanciai.

«So di non essere sempre stato un buon marito», dissi piano. «A volte mi chiedo come hai fatto a restarmi accanto per tutto questo tempo.»

A queste parole, mi fissò stupita.

«Hai passato troppe sere e troppi fine settimana da sola, e ti ho caricato dell'intera responsabilità di allevare i nostri figli. Non era giusto. E anche quando mi dicevi che desideravi molto trascorrere un po' di tempo con me, non ti ho dato ascolto. Com'è successo per il tuo trentesimo compleanno.» Feci una pausa, e vidi i suoi occhi accendersi al ricordo. Quello era stato uno dei tanti errori del passato che avevo cercato di dimenticare.

Sopraffatta dalle fatiche della maternità, Jane avrebbe voluto tornare a sentirsi donna, almeno per una sera, e mi aveva lanciato in anticipo diversi segnali. Aveva in mente una serata romantica: un bel vestito, fiori, un ristorantino tranquillo, un tavolo con una bella vista, quattro chiacchiere tra noi due in pace, senza l'ansia di dover tornare a casa presto. Avevo capito quanto fosse importante per lei, ma poi mi ritrovai così impegnato in un affare relativo a una grossa proprietà, che il suo compleanno mi colse di sorpresa. All'ultimo momento avevo mandato la mia segretaria a comprare un braccialetto a fascia e, tornando a casa, mi convinsi che, essendo costato molto, lei l'avrebbe ritenuto altrettanto speciale. Quando scartò il pacchetto le assicurai che avrei presto organizzato una meravigliosa serata insieme. Fu soltanto una delle tante promesse che non avrei mantenuto e forse Jane già allora lo sapeva.

Oppresso dal peso di tutte le occasioni mancate, non avevo più la forza di andare avanti. Mi strofinai la fronte con la punta delle dita. Spostai di lato il piatto, scoraggiato e, con un gesto inaspettato, lei allungò il braccio e mi toccò la mano.

«Wilson? Stai bene?» Nella sua voce c'era una nota di tenera sollecitudine che non udivo da tempo.

Annuii. «Sì.»

«Posso farti una domanda?»

«Certo.»

«Perché tutti questi rimpianti proprio stasera? È per via di qualcosa che ti ha detto papà?»

«No.»

«Allora da dove vengono?»

179

«Non saprei... forse è questo matrimonio.» Le rivolsi un mezzo sorriso. «Negli ultimi giorni ho riflettuto parecchio sull'argomento.»

«Non è da te.»

«Lo so», ammisi. «Però è così.»

Jane piegò la testa di lato. «Neanch'io sono stata perfetta, sai.»

«Però ci sei andata molto più vicino di me.»

«Questo è vero», rispose.

Risi, malgrado tutto, e la tensione si allentò.

«Com'è vero che per tutta la vita hai lavorato molto», disse lei. «Forse troppo. Ma ho sempre saputo che lo facevi per mantenere la famiglia. E questo mi ha permesso di restare a casa a occuparmi dei nostri figli. Per me è stato molto importante.»

Sorrisi, pensando che con le sue parole mi offriva il perdono. Sono un uomo fortunato, mi dissi, sporgendomi verso di lei.

«Sai a che cosa ho pensato, anche?» le chiesi.

«C'è dell'altro?»

«Cercavo di capire perché avessi sposato proprio me.»

La sua espressione si addolcì. «Non essere così severo con te stesso. Non l'avrei fatto, se non l'avessi voluto.»

«Perché mi hai sposato?»

«Perché ti amavo.»

«Ma perché?»

«Ci sono un sacco di ragioni.»

«E cioè?»

180

«Vuoi i particolari?»

«Fammi contento. Ti ho appena rivelato i miei segreti.»

Lei sorrise della mia insistenza.

«E va bene. Perché ti ho sposato... dunque, eri sincero, serio e affettuoso. E poi gentile e paziente, e più maturo degli altri ragazzi. Quando stavamo insieme, avevi un modo di ascoltarmi che mi faceva sentire l'unica donna sulla Terra. Ero a mio agio, e passare il tempo con te mi sembrava semplicemente naturale.»

Fece una breve pausa. «Ma oltre ai miei sentimenti, più ti conoscevo, più ero sicura che ti saresti impegnato per garantire il benessere alla tua famiglia. Devi pensare che, all'epoca, molti nostri coetanei avevano altre idee per la testa: volevano cambiare il mondo. Un nobile ideale, certo, ma io aspiravo a una famiglia tradizionale, come quella in cui ero cresciuta, e a coltivare il mio piccolo angolo di mondo. Volevo qualcuno che desiderasse sposare una donna che sarebbe stata prima di tutto una moglie e una madre, e che rispettase la mia scelta.»

«E io l'ho fatto?»

«In gran parte, sì.»

Scoppiai a ridere. «Ho notato che non hai accennato al mio affascinante aspetto e alla mia irresistibile personalità.»

«Mi hai chiesto la verità, giusto?» mi stuzzicò.

Risi di nuovo e lei mi strinse la mano. «Sto scherzando. Mi piacevi molto quando ti guardavo, la mattina, vestito in giacca e cravatta. Alto e azzimato, proprio un bel giovanotto impegnato a farsi strada. Davvero attraente.»

Le sue parole mi scaldarono il cuore. Nell'ora successiva – mentre esaminavamo il menu del ricevimento, ascoltando la musica in sottofondo – vidi i suoi occhi fissarmi intensamente. Forse ripensava alle ragioni per cui mi aveva sposato. E quel suo sguardo mi faceva sperare che, ogni tanto, fosse ancora contenta di averlo fatto.

Dieci

Il martedì mattina mi svegliai prima dell'alba e scivolai fuori dal letto, attento a non disturbare Jane. Quando uscii era ancora buio e gli uccelli non avevano ancora cominciato a cantare, ma la temperatura era mite. La pioggia notturna aveva rinfrescato l'aria, anche se l'afa si sarebbe fatta presto sentire.

Mi avviai con passo tranquillo, poi aumentai gradualmente l'andatura a mano a mano che i muscoli si scaldavano. Nell'ultimo anno ero giunto ad apprezzare quelle lunghe corse solitarie più di quanto avessi pensato. In un primo tempo credevo che, una volta persi i chili di troppo, avrei smesso, e invece continuavo ad allenarmi, soddisfatto dei miei miglioramenti.

Amavo godermi la pace del primo mattino. Il traffico era ancora scarso e i miei sensi sembravano più acuti. Percepivo il ritmo del respiro, la pressione dei piedi che calpestavano l'asfalto, mentre osservavo il dispiegarsi dell'alba: dapprima un timido chiarore all'orizzonte, poi un bagliore arancio sopra la cima degli alberi e infine il decisivo passaggio dal nero al grigio.

Uscivo ogni mattina, con il bello o il cattivo tempo. In genere restavo fuori per quarantacinque minuti e, verso la fine, rallentavo il passo per riprendere fiato. Avevo la fronte imperlata di sudore, ma mi sentivo bene. Quel giorno, notando che la luce in cucina era già accesa, imboccai il vialetto di casa con un sorriso trepidante.

Non appena oltrepassai la porta, l'odore di bacon che arrivava dalla cucina mi riportò alla nostra vita di un tempo. Quando i ragazzi erano piccoli Jane preparava la colazione per tutti, ma negli ultimi anni i diversi orari di sveglia avevano messo fine a tale abitudine. Era l'ennesimo cambiamento che in qualche modo si era imposto nel nostro rapporto.

Lei sporse la testa oltre la porta mentre attraversavo il soggiorno. Era già vestita e portava un grembiule.

«Com'è andata oggi?» mi chiese.

«Ero in forma», risposi, «considerata l'età, ovviamente». La raggiunsi in cucina. «Ti sei svegliata presto.»

«Ti ho sentito uscire e, dato che sapevo che non sarei riuscita a riaddormentarmi, ho deciso di alzarmi», disse. «Vuoi una tazza di caffè?»

«Prima vorrei un po' d'acqua. Che cosa c'è per colazione?»

«Uova e pancetta», rispose lei prendendo un bicchiere. «Spero che tu abbia fame. Anche se ieri sera abbiamo cenato tardi, io mi sono alzata con lo stomaco che brontolava.» Riempì il bicchiere di acqua del rubinetto. «Dev'essere una reazione nervosa», disse con un sorriso.

Mentre mi porgeva il bicchiere le nostre dita si sfiorarono. Forse fu solo una mia impressione, ma mi parve che il suo sguardo indugiasse su di me più a lungo del solito. «Vado a farmi la doccia», dissi. «Quanto tempo ci vuole prima che sia pronto?»

«Qualche minuto», rispose lei. «Sto tostando il pane.»

Quando tornai di sotto Jane stava mettendo i piatti in tavola. Mi sedetti accanto a lei.

«Mi chiedevo se fosse il caso di dormire fuori città domani sera», cominciò.

«E che cosa hai deciso?»

«Dipenderà da quello che dice il dottor Barnwell stamattina. Se papà sta bene, allora tanto vale che io vada a Greensboro. Ammesso che non troviamo un vestito a Raleigh. Altrimenti dovrò andarci domani in giornata. Comunque, mi porterò dietro il cellulare, per ogni evenienza.»

Misi in bocca un pezzo di pancetta. «Non credo che ce ne sarà bisogno. Se fosse peggiorato, il dottor Barnwell avrebbe già telefonato. Sai quanto gli sta a cuore la sua salute.»

185

«Comunque deciderò solo dopo aver parlato con il medico.»

«Ma certo. E io andrò a trovare Noah non appena inizia l'orario di visita.»

«Sarà di pessimo umore, sai. Odia gli ospedali.»

«E chi non li odia? A parte quando ci si va per partorire, credo che non piaccia a nessuno essere ricoverato.»

Lei imburrò una fetta di pane tostato. «Che cosa pensi di fare per la casa? Credi davvero che ci sia posto per tutti?»

Annuii. «Se spostiamo i mobili fuori, ci sarà un sacco di spazio. Pensavo di metterli nel fienile per qualche giorno.»

«E come farai a spostarli?»

«Il giardiniere arriverà con una squadra molto numerosa. Sono sicuro che mi daranno loro una mano.»

«La casa non sarà troppo vuota?»

«No, perché ci metteremo i tavoli. Pensavo di allestire il buffet dalla parte delle finestre, così resterà uno spazio libero per ballare davanti al camino.»

«Per ballare? Ma non abbiamo parlato della musica.»

«In effetti, contavo di prendere accordi oggi. Oltre a contattare l'impresa di pulizie.»

Lei piegò la testa di lato, esaminandomi. «Hai pensato proprio a tutto.»

«Che cosa credi che abbia fatto stamattina mentre correvo?»

«Ansimavi, soffiavi... il solito.»

Risi. «Ehi, guarda che sono davvero in ottima forma. Ho anche superato qualche vicino che si stava allenando.»

«Il solito vecchietto sulla sedia a rotelle?»

«Ah-ah», dissi, ma ero felice del suo buonumore. Mi chiedevo se ci fosse un nesso con il modo in cui mi aveva guardato la sera precedente. Mi sentii fiducioso. «A proposito, grazie della colazione.»

«È il minimo che possa fare. Dato che mi sei stato di grande aiuto in questi giorni: hai persino preparato la cena per ben due volte.»

«Hai ragione», concordai. «Sono un santo.»

Lei rise. «Non esageriamo.»

«No?»

«No. Ma senza di te, sarei impazzita.»

«E saresti morta di fame.»

Sorrise. «Ora ho bisogno del tuo parere», disse. «Che ne pensi di un vestito senza maniche? Con la vita alta e un piccolo strascico?»

Mi portai una mano al mento, riflettendo. «Direi che può andare», risposi infine. «Anche se mi vedrei meglio con lo smoking.»

Jane mi lanciò un'occhiataccia e io alzai le mani con finto candore.

«Ah, ti riferivi ad Anna», mi corressi. E poi, ricordandomi la frase di Noah: «Sono sicuro che sarà bellissima qualunque cosa indossi».

«Ma non hai una tua opinione?»

«Non so nemmeno che cosa sia la vita alta.»

187

Lei sospirò. «Gli uomini...»

«Eh, sì», dissi, sospirando a mia volta. «È un miracolo che siano ammessi in società.»

Il dottor Barnwell telefonò poco dopo le otto. Noah stava bene e contavano di dimetterlo in giornata, o al massimo l'indomani. Tirai un sospiro di sollievo e passai la cornetta a Jane. Lei ascoltò il medico riferirle le stesse cose, poi riagganciò e chiamò il padre, il quale la spronò ad andare in giro con Anna.

«Tanto vale fare i bagagli», mi disse infine.

«Lo penso anch'io.»

«E speriamo di trovare il vestito, oggi.»

«In ogni caso, divertiti con le ragazze. Sono occasioni che capitano una volta sola nella vita.»

«Abbiamo altri due figli da sistemare», replicò lei allegramente. «Questo è solo l'inizio!»

Sorrisi. «Lo spero.»

Un'ora dopo, accompagnata da Keith, a casa nostra arrivò Anna, con una piccola valigia. Jane era in camera a prepararsi e io andai ad aprire la porta. Sorpresa, sorpresa: mia figlia si era vestita di nero.

«Ciao papà», mi salutò.

Uscii in terrazza. «Ciao, tesoro. Come va?»

Lei posò la valigia e venne ad abbracciarmi.

«Benissimo», rispose. «È tutto molto divertente. All'inizio non ne ero troppo sicura, ma finora è stato un vero spasso. E la mamma è un portento. Era da tempo che non si mostrava tanto entusiasta.»

«Ne sono felice», dissi.

Mi sorrise, e rimasi colpito dalla sua aria adulta. Dov'era finita la mia bambina?

«Non vedo l'ora che arrivi sabato», mormorò.

«Anch'io.»

«Sarà tutto pronto per la cerimonia?»

Annuii.

Lei si guardò intorno. Notando la sua espressione, capii al volo che cosa stava per dire.

«Come vanno le cose tra te e la mamma?»

Me l'aveva chiesto per la prima volta pochi mesi dopo che Leslie era andata a vivere da sola e, nell'ultimo anno, mi aveva ripetuto spesso la domanda, sempre in assenza di Jane. Dapprincipio ne ero rimasto un po' sconcertato.

«Bene», risposi.

Era la mia risposta abituale, anche se sapevo che lei non mi credeva.

Stavolta, però, mi scrutò in viso e, con mia sorpresa, mi strinse forte. «Ti voglio bene, papà», bisbigliò. «Sei fantastico.»

«Anch'io ti voglio bene, tesoro.»

«La mamma è una donna fortunata», disse. «Non dimenticarlo mai.»

«Bene», disse Jane mentre eravamo sul vialetto. «Credo di aver preso tutto.»

Anna l'aspettava in macchina.

«Mi chiamerai, vero? Se dovesse succedere qualunque cosa.»

«Lo prometto», risposi. «Salutami Leslie.»

Aprendole la portiera dell'auto, avvertii intorno a me un calore opprimente. L'aria era umida e soffocante e le case vicine avvolte da un velo di foschia. Sarebbe stata un'altra giornata rovente.

«Divertiti», le dissi, e già sentivo la sua mancanza.

Jane annuì, facendo un passo verso la macchina. Guardandola, pensai che era ancora in grado di far girare molte teste. Com'era possibile che io fossi invecchiato, e lei invece fosse stata risparmiata dai segni del tempo? mi chiesi. E prima che riuscissi a fermarle, le parole mi erano già uscite di bocca.

«Sei bellissima», mormorai.

Lei si voltò con un'espressione vagamente sorpresa. Forse credeva di non aver udito bene. Allora, d'impulso, feci ciò che un tempo mi veniva naturale come respirare. Mi avvicinai e premetti le mie labbra contro le sue.

Fu diverso da tutti i baci che ci eravamo scambiati ultimamente, rapidi e distratti, come due conoscenti che si salutano. Non mi tirai subito indietro, e neppure lei e il bacio prese una vita sua. Quando alla fine ci separammo la guardai in viso e capii che avevo fatto la cosa giusta.

Undici

Ero ancora sotto l'emozione di quel bacio quando salii a mia volta in macchina. Dopo essere passato al supermercato mi diressi a Creekside. Invece di andare direttamente al laghetto, entrai nell'edificio.

Come sempre l'aria era pervasa dall'odore di disinfettante. Le mattonelle colorate e gli ampi corridoi mi facevano pensare a un ospedale e, passando oltre la sala di ricreazione, notai che solo pochi tavoli erano occupati. C'erano due uomini che giocavano a scacchi in un angolo, e qualche altro ospite che guardava la TV. Un'infermiera stava seduta alla scrivania, con la testa china sui fogli.

Le voci provenienti dalla televisione mi seguirono finché non giunsi nella camera di Noah. Mentre le altre stanze erano quasi prive di qualsiasi tocco personale, lui aveva trasformato la sua in un ambiente piacevole e famigliare. Sul muro, dietro la sedia a dondolo, era appeso un quadro di Allie: un giardino fiorito con uno stagno, che ricordava i dipinti di

Monet. Sugli scaffali si vedevano numerose foto di famiglia e il suo cardigan preferito era appoggiato ai piedi del letto. In un angolo c'era lo scrittoio che era appartenuto al padre di Noah, il piano pieno di graffi e di macchie d'inchiostro delle penne stilografiche.

Sapevo che mio suocero si sedeva spesso lì la sera, dato che quel mobile custodiva i suoi tesori: il taccuino su cui aveva scritto la sua storia d'amore con Allie, i diari rilegati in pelle dalle pagine ingiallite dagli anni, le centinaia di lettere che lui e la moglie si erano scambiati. C'erano anche altri ricordi: fiori secchi, articoli con le recensioni delle mostre di Allie, regali ricevuti dai figli e l'edizione di *Foglie d'erba* di Walt Whitman, che l'aveva accompagnato durante la guerra.

Forse era deformazione professionale, da avvocato, ma mi chiedevo che cosa ne sarebbe stato di tutta quella roba una volta che lui se ne fosse andato. Con che criterio sarebbe stata distribuita tra i figli? Chi avrebbe custodito il taccuino? A chi sarebbero andati i diari e le lettere? Un conto era dividere proprietà materiali, ben diverso separare pezzi di cuore.

Aprii i cassetti, e presi qualche oggetto per portarglielo in ospedale.

Fuori si soffocava dal caldo e, appena uscito dall'edificio, cominciai a sudare copiosamente. Il giardino era deserto. Camminando lungo il sentiero di ghiaia, cercai la radice su cui era inciampato Noah. Dopo qualche minuto la scorsi ai piedi di una gigantesca magnolia: si snodava sul terreno come un serpente disteso al sole.

Lo specchio d'acqua melmosa rifletteva il cielo e rimasi a osservare per qualche istante le nuvole che solcavano lentamente la superficie. C'era un vago odore di umidità intorno alla panchina. Mi sedetti, e il cigno sbucò dall'altra parte del laghetto nuotando maestoso verso di me.

Aprii la confezione di pancarré e sbriciolai una fetta. Mentre gettavo il primo pezzo nell'acqua mi chiesi se Noah avesse detto la verità in ospedale. Possibile che il cigno fosse stato vicino a lui per tutto il tempo che era rimasto svenuto? L'infermiera confermava di averlo trovato lì, e in cuor mio ci credevo.

Il cigno, ragionai, era affezionato a Noah perché gli dava da mangiare: ormai era più un animale domestico che una creatura selvatica. La storia di Allie e della sua anima non c'entrava proprio nulla.

Ignorando il pezzo di pane che gli avevo gettato, il cigno rimase a fissarmi immobile. Strano. Quando gli lanciai un secondo pezzo lo guardò, poi tornò a girare la testa verso di me.

«Sbrigati», dissi. «Ho tante cose da fare.»

Sotto la superficie dell'acqua, le sue zampe si muovevano appena, quel tanto che bastava a farlo restare sul posto.

«Avanti», borbottai, «che aspetti? Ti ho già dato da mangiare altre volte.»

Gettai un terzo pezzo di pane, a pochi centimetri

da lui. Udii il tonfo leggero quando toccò la superficie. Anche stavolta, il cigno non si mosse.

«Non hai fame?» domandai allora.

Alle mie spalle udii gli irrigatori automatici che entravano in funzione, spruzzando acqua nebulizzata. Mi girai a guardare alle mie spalle, verso la finestra della camera di Noah, ma il vetro rifletteva i raggi del sole. Non sapendo che altro fare, lanciai un quarto pezzo di pancarré, senza successo.

«Me l'ha chiesto lui di venire qui», dissi.

Il cigno raddrizzò il collo e arruffò le ali. D'un tratto mi resi conto che stavo facendo esattamente quello che impensieriva tanto i figli di Noah: parlavo al cigno, come se fosse in grado di capirmi.

Come se fosse Allie?

Ma no, mi dissi, scacciando l'idea. La gente parla a cani e gatti, anche alle piante, e a volte dà in escandescenze davanti a un avvenimento sportivo in televisione. Kate e Jane non si sarebbero dovute preoccupare tanto.

D'altra parte, riflettei, una cosa era parlare al cigno, tutt'altra credere che fosse Allie. E Noah lo pensava davvero.

I pezzi di pane che avevo buttato erano andati a fondo e il cigno continuava a fissarmi. Provai a lanciargli un altro boccone, ma vedendo che l'animale non si muoveva, mi guardai intorno per accertarmi che non ci fossero testimoni. Perché no? pensai, sporgendomi in avanti.

«Senti», dissi, «sono andato a trovarlo ieri e ho parlato con il dottore stamattina. Tornerà qui domani.»

Il cigno parve ponderare le mie parole, e un attimo dopo mi vennero i brividi nel vederlo chinare il collo per mangiare.

All'ospedale pensai di aver sbagliato stanza.

In tutti gli anni che lo conoscevo non avevo mai visto Noah guardare la televisione. Quando avevo cominciato a frequentare la sua casa avevo scoperto che, pur avendone una, in genere la famiglia trascorreva la sera nel portico a raccontare storie. A volte lui suonava la chitarra e gli altri cantavano; oppure, d'inverno, accendevano il camino e si riunivano a leggere in salotto. Per ore, l'unico rumore era il fruscio delle pagine girate, mentre ognuno di loro si rifugiava in un mondo diverso, pur restando l'uno vicino all'altro.

Era il retaggio di un'era passata, e io amavo molto quelle serate. Mi facevano tornare in mente quand'ero bambino e papà stava seduto vicino a me a costruire le sue navi, nella calma e nel silenzio, senza il frastuono della televisione in sottofondo.

Quel giorno trovai mio suocero con la schiena appoggiata ai cuscini, intento a fissare lo schermo. Io tenevo in mano gli oggetti che avevo preso dal suo scrittoio.

«Ciao, Noah», lo salutai e, invece di rispondermi

nel solito modo, lui si girò verso di me con espressione incredula.

«Vieni», disse, facendomi cenno di avvicinarmi. «Vieni un po' a vedere.»

Mi avvicinai. «Che cosa stai guardando?»

«Non so», rispose senza distogliere lo sguardo dalle immagini. «Una specie di talk show. Credevo fosse uno di quei programmi di attualità politica, ma non è così. Non ti immagini nemmeno di che cosa stanno parlando.»

Mi vennero subito in mente una serie di trasmissioni volgari, di quelle che mi inducevano a domandarmi come riuscissero a dormire di notte i produttori. Non feci fatica a immaginarmi il genere di argomento trattato, perché i temi erano sempre gli stessi: banali e triviali, presentati nella maniera più sensazionale possibile da ospiti il cui unico scopo era quello di apparire in TV, anche a costo di fare una squallida figura.

«Perché hai scelto un programma del genere?»

«Non sapevo nemmeno che lo trasmettessero», spiegò lui. «Stavo aspettando il telegiornale, poi, dopo uno spot, è andato in onda questo. E quando ho visto di che cosa si trattava non sono più riuscito a smettere di guardarlo. È come assistere a un incidente stradale sull'altro lato della carreggiata.»

Mi sedetti sulla sponda del letto. «È davvero tanto grave?»

«Diciamo che non vorrei essere giovane di questi

tempi. La società è in rapido declino e sono felice di sapere che non ci sarò più, quando colerà a picco.»

Sorrisi. «Dicendo così dimostri tutta la tua età, Noah.»

«Forse. Ma non significa che mi sbagli.» Scrollò la testa e prese il telecomando. Un attimo dopo, la camera tornò silenziosa.

Gli porsi le cose che avevo prelevato dalla sua stanza.

«Pensavo che ti avrebbero aiutato a passare il tempo. A meno che tu non preferisca guardare la televisione, s'intende.»

La sua espressione si addolcì alla vista del plico di lettere e della copia di *Foglie d'erba*. Le pagine del libro, sfogliate migliaia di volte, apparivano quasi gonfie. Accarezzò la copertina lisa. «Sei un brav'uomo, Wilson», mi disse. «Immagino che tu sia andato anche al laghetto.»

«E ho gettato anche un po' di pancarré», lo informai.

«Come stava, oggi?»

Mi agitai, non sapendo bene come rispondere.

«Credo sentisse la tua mancanza», dissi infine.

Lui annuì, compiaciuto. Raddrizzandosi a sedere, chiese: «Allora Jane è andata con Anna?»

«Probabilmente sono ancora per strada. Sono partite un'ora fa.»

«E Leslie?»

«Le aspetta a Raleigh.»

«Verrà fuori una meraviglia», osservò. «Mi riferisco al matrimonio. Come procedono i lavori nella casa?»

«Bene», risposi. «Spero sia tutto pronto giovedì.»

«Che cosa hai in programma per la giornata?»

Gli elencai i miei impegni e, quando ebbi finito, fece un fischio di apprezzamento. «Mi pare che tu abbia parecchio da fare», disse.

«Abbastanza», confermai. «Ma fino a questo momento, sono stato fortunato.»

«Direi proprio. Tranne che per me. La mia caduta poteve rischiare di rovinare tutto.»

«Alla fine è andata bene.»

Mi guardò. «E per quanto riguarda il vostro anniversario?» domandò.

La mia mente riandò alle tante ore passate a preparare l'avvenimento: le telefonate, le corse all'ufficio postale e i giri per i negozi. Avevo pensato al regalo durante i momenti liberi dal lavoro, e anche al modo migliore di presentarlo. Tutti in ufficio erano al corrente dei miei piani, ma avevano fatto voto di silenzio. E soprattutto, mi avevano sostenuto in maniera incredibile: non ce l'avrei fatta a realizzare da solo quello che volevo.

«Usciremo insieme giovedì sera», risposi. «A quanto pare, è l'unica occasione. Stasera Jane non c'è, domani verrà a trovarti e venerdì arriveranno Joseph e Leslie. E ovviamente sabato è escluso per ovvie ragioni.» Feci una pausa. «Spero che le piaccia.›

Noah sorrise. «Fossi in te non mi preoccuperei,

Wilson. Non avresti potuto trovare un regalo più bello nemmeno con tutti i soldi del mondo.»

«Mi auguro che tu abbia ragione.»

«Certo. E non posso immaginare un modo migliore di dare inizio ai festeggiamenti per le nozze.»

La sincerità con cui lo disse mi scaldò il cuore: rimasi commosso dall'affetto che dimostrava nei miei confronti, nonostante le nostre differenze di carattere.

«Sei stato tu a darmi l'idea», gli ricordai.

Scrollò la testa. «No», disse, «il merito è tutto tuo. I doni del cuore non possono essere ascritti a nessun altro, se non al donatore.» Si toccò il petto per sottolineare il concetto. «Ad Allie sarebbe piaciuta moltissimo la tua iniziativa», osservò. «Si scioglieva sempre quando si trattava di cose del genere.»

«Vorrei che fosse qui anche lei.»

Noah guardò il plico di lettere, e per un attimo parve stranamente ringiovanito.

«Anch'io», disse.

Mentre attraversavo il parcheggio, il calore rischiava di fondermi le suole delle scarpe e avevo la camicia appiccicata alla schiena.

Una volta salito in macchina, mi diressi verso le stradine di campagna che mi erano familiari come il mio quartiere. Filari di pini segnavano i confini tra le fattorie e, in lontananza, scorsi un trattore in movimento che sollevava una nuvola di polvere.

Da alcuni punti della strada si intravedeva il fiume

Trent, le acque lente che luccicavano al sole. Guardai le rive fiancheggiate da querce e cipressi: i tronchi chiari e le radici contorte creavano ombre intricate e i rami erano ricoperti di tillandsia. Le fattorie lasciavano gradualmente spazio alla foresta e, superando i fitti alberi ai lati della strada, immaginai che fossero gli stessi che avevano assistito alla marcia dei soldati dell'Unione e della Confederazione, tanto tempo prima.

Scorsi da lontano un tetto di metallo che scintillava; poi vidi la casa, e un attimo dopo ero arrivato.

Esaminando l'edificio mentre percorrevo il viale alberato, mi accorsi che aveva l'aria abbandonata. Sul lato sorgeva il fienile dal colore rosso stinto, dove Noah teneva la legna e gli attrezzi: le pareti erano piene di buchi e il tetto arrugginito. Il suo amato laboratorio si trovava proprio dietro la casa. Anche lì le porte a battente erano storte e le finestre incrostate di sporco. Ancora oltre c'era il roseto, ormai inselvatichito come le rive del fiume. Nel prato l'erba era cresciuta a dismisura.

Parcheggiai sul retro, pescai le chiavi dalla tasca e aprii la porta d'ingresso. Una lama di luce si allungò sul pavimento.

Con le finestre sbarrate, l'interno era buio. Avrei dovuto azionare il generatore, ma una volta che i miei occhi si furono abituati all'oscurità, cominciai a distinguere i particolari. Proprio di fronte a me c'erano le scale che portavano alle camere da letto, mentre alla mia sinistra si apriva l'ampio soggiorno che si estendeva dal fronte della casa al portico posteriore.

La stanza odorava di polvere e ce n'era uno spesso strato sui panni che coprivano i pezzi d'arredamento. Avrei dovuto avvertire i trasportatori che erano tutti mobili antichi, risalenti all'epoca di costruzione della casa. Il caminetto era decorato con mattonelle di ceramica dipinte a mano; ricordavo che Noah mi aveva detto di essere stato fortunato perché, quando aveva dovuto cambiare quelle rovinate, aveva scoperto che la ditta che le aveva prodotte era ancora in attività. In un angolo si vedeva il pianoforte, che era stato suonato da figli e nipoti.

C'erano tre finestre per parte ai lati del camino. Cercai di immaginare che aspetto avrebbe avuto la stanza una volta pronta per il ricevimento, ma mentre mi guardavo intorno nella penombra, non ci riuscii. Nella mia mente riaffiorava il ricordo delle tante serate che vi avevo trascorso con Jane e i suoi genitori. Mi pareva quasi di sentire le risate e il suono familiare delle voci che conversavano affiatate.

Forse ero andato lì perché gli avvenimenti della mattinata avevano acuito la mia nostalgia, mi dissi. Avvertivo ancora il tocco morbido delle labbra di Jane sulle mie e il sapore del suo rossetto. Possibile che le cose tra di noi stessero tornando a funzionare? Lo desideravo disperatamente, anche se temevo di illudermi. Ma per la prima volta da moltissimo tempo mi era sembrato che, almeno per un istante, fossimo entrambi felici di stare insieme.

Dodici

𝒯rascorsi il resto della giornata nel mio studio, attaccato al telefono. Mi accordai con un'impresa di pulizie perché andassero a casa di Noah il giovedì; parlai con l'uomo che veniva a lavare la nostra terrazza e gli chiesi di dare una rinfrescata all'esterno. Chiamai pure un elettricista, che doveva controllare il funzionamento del generatore, delle prese interne e dell'illuminazione del giardino. Poi sentii quelli che avevano imbiancato il mio studio l'anno prima, e mi assicurarono che avrebbero mandato qualcuno a ritinteggiare i muri interni e la staccionata che delimitava il roseto. Tavoli e gazebo, sedie e tovaglie, bicchieri e posate sarebbero stati forniti da una ditta specializzata. Avrebbero consegnato tutto giovedì e in seguito sarebbe arrivato qualche cameriere del ristorante per sistemare le cose. Nathan Little, il giardiniere, era ansioso di cominciare e, quando gli telefonai, mi disse che le piante erano già state caricate sui furgoni. Si dichiarò anche disponibile a far spostare i mobili dai suoi uomini. Per finire, mi occupai della musica: il piano sarebbe stato accordato.

Organizzare tutto in così breve tempo non fu difficile come si potrebbe pensare. Oltre a conoscere la maggior parte delle persone che interpellai, mi era già capitato una volta di farlo. Per molti versi, quell'esplosione di frenetica attività mi ricordava quello che era successo con la nostra prima casa, acquistata subito dopo il matrimonio. Si trattava di una villetta in pessime condizioni, che aveva bisogno di una completa ristrutturazione. Jane e io avevamo cominciato a sgombrarla e a dare una ripulita generale, ma a un certo punto era stato necessario ricorrere a una squadra di falegnami, idraulici ed elettricisti.

Nel frattempo, ci davamo da fare per cercare di mettere su famiglia.

Eravamo entrambi vergini quando ci eravamo sposati: io avevo ventisei anni, lei ventitré. Avevamo imparato insieme a fare l'amore in maniera innocente e nel contempo appassionata, diventando sempre più bravi a darci reciprocamente piacere.

Non cercammo mai di evitare una gravidanza ed ero convinto che Jane sarebbe rimasta subito incinta, tanto che cominciai a risparmiare in previsione dell'avvenimento. Invece non accadde nulla, né il primo, né il secondo e nemmeno il terzo mese.

Intorno al sesto, Jane si confidò con la madre e quella stessa sera, quando tornai a casa dall'ufficio, mi annunciò che dovevamo parlare. Stavolta non si trattava di andare a messa con lei, ma di pregare, e io lo feci. Per qualche motivo sentivo che era giusto così. Dopo quella volta, cominciammo a pregare insieme regolarmente e ogni giorno aspettavo quel momento con maggior entusiasmo. Lei, tuttavia, non restava incinta. Non mi ha mai detto di aver nutrito seri dubbi sulla propria capacità di concepire; di sicuro, però, ci pensava e anch'io cominciavo a pormi qualche domanda. Ormai mancava un mese al nostro primo anno di matrimonio.

L'appartamento che avevamo preso in affitto era molto piccolo e la ristrutturazione della nuova casa stava andando per le lunghe. All'inizio era stata mia intenzione confrontare i preventivi di varie imprese, ma sapevo che Jane era esasperata, e decisi in segreto di prendere in mano la situazione: avrei fatto in modo che potessimo trasferirci per il nostro anniversario.

Così, proprio come tre decenni più tardi, mi attaccai al telefono, chiesi favori e mi assicurai che tutti i lavori venissero ultimati in tempo. Ingaggiai operai e artigiani, passai diverse volte al giorno a vedere come procedevano le cose, e finii per spendere molto più di quanto avessi previsto. Tuttavia rimasi stupefatto della velocità con cui la casa cominciava a prendere forma. In breve vennero posati pavimenti, installati sanitari, cambiato l'impianto elettrico e incollata la tappezzeria, mentre il calendario avanzava inesorabilmente.

Nell'ultima settimana, quella cruciale per la sistemazione degli interni, mi inventai delle scuse per tenere Jane lontana dalla casa: volevo che per lei fosse una sorpresa indimenticabile.

«Non serve che tu vada lì, stasera», dicevo. «Ci sono stato prima e non c'era nessuno che ci stava lavorando.» Oppure: «Dopo cena devo guardare delle pratiche e preferirei rilassarmi qui con te adesso».

Non so se lei credesse alle mie scuse – doveva pur sospettare qualcosa – ma non protestò mai. Il giorno del nostro anniversario, dopo una cenetta romantica in un locale del centro, la portai a vedere la casa.

Era tardi. La luna piena splendeva nel cielo terso; l'aria era pervasa dalle note stridule del canto delle cicale. Da fuori la situazione sembrava immutata. In giardino c'erano ancora mucchi di detriti e taniche di pittura, e il portico era tutto impolverato. Jane lanciò un'occhiata in giro, poi mi guardò perplessa.

«Voglio controllare a che punto sono i lavori», spiegai.

«Stasera?»

«Perché no?»

«Ma, tanto per cominciare, dentro è buio. Non riusciremo a vedere niente», obiettò lei.

«Avanti», insistei, prendendo la torcia che stava sotto il sedile. «Non dobbiamo fermarci a lungo, se non ti va.»

Scesi dalla macchina e le aprii la portiera. Dopo averla condotta con cautela oltre le macerie, aprii la porta.

Fummo accolti dall'odore di colla della tappezzeria e un attimo dopo, quando accesi la torcia e la indirizzai verso il salotto e poi la cucina, vidi Jane sgranare gli occhi. Non era ancora tutto pronto, ovviamente, ma anche dall'ingresso risultava chiaro che avremmo presto potuto traslocare lì.

Jane era rimasta paralizzata. Le presi la mano.

«Benvenuta a casa», le dissi.

«Oh, Wilson», sospirò lei.

«Buon anniversario», mormorai.

Quando mi guardò la sua espressione era un misto di speranza e confusione.

«Ma come... cioè, la settimana scorsa i lavori non erano ancora...»

«Volevo farti una sorpresa. Su, vieni: c'è un'altra cosa che voglio mostrarti.»

La condussi al piano di sopra, verso la camera matrimoniale; aprii la porta, puntai la torcia e mi feci da parte, perché lei potesse vedere.

In mezzo alla stanza troneggiava l'unico mobile che abbia mai comperato da solo: un vecchio letto a baldacchino. Somigliava a quello dell'albergo di Beaufort dove avevamo fatto l'amore durante la luna di miele.

Jane rimase in silenzio, e di colpo venni assalito dall'ansia di aver sbagliato.

«Non capisco», mormorò infine «È stata un'idea tua?»

«Non ti piace?»

Sorrise. «È bellissimo», esclamò. «Ma non riesco

a credere che tu ci abbia pensato. È quasi... romantico.»

La realtà pura e semplice era che ci serviva un letto decente, ed ero sicuro che quello stile le sarebbe piaciuto. A suo modo, però, lei mi aveva appena fatto un complimento, perciò la guardai intensamente, come per dire: non te l'aspettavi, eh?

Jane si avvicinò al letto e accarezzò il tendaggio. Un attimo dopo, si sedette sul bordo e mi invitò a raggiungerla, dando dei colpetti con la mano al materasso. «Dobbiamo parlare», disse.

Avevo già sentito quella frase. Prevedevo che mi avrebbe chiesto di nuovo di fare qualcosa per lei, e invece, quando mi sedetti al suo fianco, si sporse a baciarmi.

«Anch'io ho una sorpresa», dichiarò. «Non vedevo l'ora di dirtelo.»

«Che cos'è?»

Esitò per una frazione di secondo. «Aspetto un bambino.»

Dapprincipio non registrai l'esatto significato delle sue parole, ma poi realizzai che la sua sorpresa era persino più grande della mia.

Jane mi telefonò verso sera, quando il sole era basso sull'orizzonte e il calore si era fatto meno opprimente. Dopo aver chiesto notizie di Noah, mi informò che Anna non aveva ancora trovato un vestito che la convincesse e che non sarebbe tornata a

207

casa prima dell'indomani. La tranquillizzai, dicendole che me lo aspettavo, ma percepii la frustrazione nella sua voce. Più che arrabbiata, era esasperata e io sorrisi, chiedendomi come potesse stupirsi del comportamento della figlia.

Dopo aver riagganciato, mi recai a Creekside per dare al cigno la sua razione serale di pancarré, poi feci un salto in ufficio prima di rincasare.

Parcheggiai al solito posto: di fronte c'era il ristorante *Chelsea* e dall'altra parte della strada un parchetto dove ogni anno veniva allestito il villaggio di Babbo Natale. Nonostante avessi lavorato lì per trent'anni, mi sorprendeva ancora vedere intorno a me i segni della storia del North Carolina. Il passato mi ha sempre affascinato e mi piaceva l'idea di poter raggiungere a piedi la prima chiesa cattolica costruita nello stato, oppure la prima scuola pubblica, o ancora il maestoso Tryon Palace, in origine dimora del governatore coloniale e ora sede di uno dei più bei giardini del Sud. Non sono il solo a provare questo senso di orgoglio per la mia città: la New Bern Historical Society è una delle più attive del paese.

I miei soci e io siamo proprietari dell'edificio che ospita i nostri uffici, ed è un peccato che non ci sia qualche interessante aneddoto storico che lo riguarda. Costruito alla fine degli anni Cinquanta, quando l'unico criterio seguito dagli architetti era la funzionalità, in realtà ha un aspetto piuttosto anonimo: è una struttura rettangolare di mattoni a un piano solo.

Feci scattare la serratura della porta, digitando

immediatamente il codice per evitare che l'allarme si mettesse a suonare. Accesi la luce nell'ingresso e mi diressi verso la mia stanza.

Il mio ufficio, come quello degli altri soci, ha un'aria formale, che sembra molto gradita ai clienti: scrivania di ciliegio scuro con lampada di ottone, testi legali nella libreria, due comode poltrone di pelle di fronte alla scrivania.

Occupandomi di cause patrimoniali, ho l'impressione di aver visto ogni genere di coppia nel corso della mia carriera. Molte sono del tutto normali, ma alcuni si mettono a latrare davanti a me come cani rabbiosi, e una volta mi è capitata una cliente che ha versato il caffè bollente in testa al marito. Più spesso di quanto credessi possibile, poi, sono stato interpellato a quattr'occhi da uomini dall'apparenza rispettabile che mi chiedevano se fossero obbligati per legge a lasciare qualcosa alla moglie, o se potessero escluderla totalmente dall'eredità, a favore dell'amante. Non appena queste persone escono dal mio ufficio, non posso fare a meno di chiedermi che cosa succeda dentro le loro mura domestiche.

Aprii con la chiave il cassetto della scrivania. Posai sul piano il regalo di Jane e lo guardai, chiedendomi come avrebbe reagito nel riceverlo. Speravo le piacesse, ma soprattutto volevo che capisse il mio tentativo sincero, seppur tardivo, di scusarmi per l'uomo che ero stato per gran parte del nostro matrimonio.

La consapevolezza di averla delusa ripetutamente

in passato mi induceva a interrogarmi sulla sua espressione di quella mattina nel vialetto di casa. Me l'ero immaginato, o era quasi... sognante?

Guardai verso la finestra e, dopo un istante, mi giunse la risposta: no, non era la mia immaginazione. Per qualche motivo, forse del tutto involontariamente, ero incappato nella chiave del successo quando l'avevo corteggiata, tanto tempo prima. E sebbene fossi ancora lo stesso uomo dell'ultimo anno – uno profondamente innamorato della moglie, che si sforza in ogni modo di non perderla – in quella settimana avevo compiuto una piccola, ma significativa correzione.

Non mi ero concentrato sui miei problemi, sforzandomi di rimediare. Avevo semplicemente pensato a lei, mi ero dedicato ad aiutarla nelle responsabilità di famiglia, l'avevo ascoltata con interesse quando parlava, e tutto quello di cui avevamo discusso era sembrato nuovo. Avevo riso alle sue battute, l'avevo consolata se piangeva, mi ero scusato per i miei errori e le avevo mostrato l'affetto che meritava e di cui aveva bisogno. In altre parole, ero stato l'uomo che aveva amato, quello che ero un tempo e – come riscoprendo una vecchia abitudine – capii che tanto bastava per ricominciare a godere della reciproca compagnia.

Tredici

Arrivando a casa di Noah, il mattino seguente, vidi i furgoni del vivaio già parcheggiati sul vialetto. Alcuni erano carichi di piante, uno pieno di aghi di pino da spargere sulle aiuole, intorno agli alberi e lungo la staccionata, e c'erano anche tre pick-up con cassette di piantine fiorite.

Intorno agli automezzi erano radunati gruppetti di cinque o sei persone. Facendo un rapido conto, ne calcolai almeno una quarantina, tutti con indosso jeans e berretti da baseball, a dispetto del caldo. Quando scesi dall'auto Little mi venne incontro sorridendo.

«Bene, sei arrivato», disse, posandomi una mano sulla spalla. «Ti stavamo aspettando. Allora, possiamo cominciare?»

Nel giro di pochi minuti vennero scaricate le attrezzature e l'aria si riempì del ronzio dei tagliaerba. Piante, cespugli e alberi furono trasportati sulle carriole, per essere piantati nei punti previsti.

Le maggiori attenzioni, tuttavia, sarebbero state riservate al roseto, e io seguii Little che, dopo aver afferrato un paio di cesoie, raggiunse lì i suoi uomini. Date le pessime condizioni del giardino, non avrei saputo da che parte cominciare, ma lui iniziò subito a potare il primo cespuglio spiegando agli altri come fare. Gli operai lo osservarono attentamente, poi si misero all'opera. Con il passare delle ore, i colori delle rose tornarono miracolosamente a risaltare, a mano a mano che le piante venivano sfoltite e potate. Little voleva che venisse sacrificato il minor numero possibile di fiori e questo richiese un paziente lavoro di spostamento e legatura dei rami.

Poi toccò al pergolato. Il mio amico salì sulla scala e sistemò i rami delle rose rampicanti che lo coprivano. Mentre lavorava, gli indicai l'area dove sarebbero state messe le sedie per gli invitati.

Lui annuì. «Volevi due aiuole di impatiens a fiancheggiare il corridoio centrale, giusto?»

Alla mia risposta affermativa, si ficcò due dita in bocca e fischiò. Un istante dopo arrivarono carriole piene di piantine. Un paio di ore più tardi potei ammirare uno splendido percorso fiorito, talmente perfetto da essere pubblicato su una rivista.

Nel corso della mattinata anche il resto della proprietà cambiò aspetto. Dopo aver tosato i prati e potato le siepi, gli operai si dedicarono ai paletti della staccionata e ai sentieri. L'elettricista arrivò a mezzogiorno: mise in moto il generatore e controllò le prese e l'illuminazione del giardino. Un'ora più tardi fu la volta degli imbianchini: sei uomini con le tute macchiate di pittura scesero da un furgoncino malandato e con l'aiuto dei giardinieri trasportarono i mobili nel fienile. A quel punto il tizio che doveva lavare l'esterno della casa parcheggiò accanto alla mia macchina. Scaricò la sua pompa e nel giro di pochi minuti il primo getto di acqua a pressione colpì le assi del rivestimento, riportandole lentamente dal grigio al bianco.

In quel fervore di attività, anch'io andai nel laboratorio e presi una scala. Bisognava rimuovere le imposte dalle finestre, quindi mi misi al lavoro. Il pomeriggio passò in un baleno.

Erano le quattro quando i giardinieri risalirono sui furgoni; anche gli imbianchini stavano preparandosi ad andarsene. Nel frattempo, ero riuscito a staccare quasi tutte le assi dalle finestre; ne restava ancora qualcuna al piano di sopra, ma avrei potuto continuare il mattino seguente.

Quando ebbi finito di riporre le assi mi accorsi che intorno a me era sceso un silenzio quasi innaturale. Ero rimasto solo, e decisi di fare un giro della proprietà.

Come capita con tutti i progetti lasciati a metà, notai che l'effetto generale era peggiore di quando, quella mattina, erano iniziati i lavori. C'erano attrezzi da giardiniere sparsi ovunque e vasi vuoti ammucchiati disordinatamente. Sia dentro sia fuori, la casa era stata ripulita solo in parte e mi faceva venire in mente la pubblicità dei detersivi che promettono un bianco più splendente delle marche concorrenti. Accanto alla staccionata c'erano mucchi di erba tagliata e i cuori interni del rosaio, che non erano stati toccati, avevano ancora un'aria desolata e selvatica.

Nonostante questo, però, ero contento. Era stata una giornata proficua: tutto sarebbe stato sistemato in tempo e Jane ne sarebbe rimasta stupefatta, pensai. Mi avviai verso la macchina, e a quel punto scorsi Harvey Wellington, il pastore battista, appoggiato alla staccionata che divideva il suo terreno da quello di Noah. Rallentando il passo, esitai un istante, poi attraversai il prato e lo raggiunsi. La sua fronte sembrava lucida come un piano di mogano levigato e gli occhiali gli erano scesi sul naso. A giudicare dai vestiti, doveva aver passato anche lui la giornata a lavorare all'aperto.

«Vedo che state facendo i preparativi per sabato», disse.

«Ci provo», risposi.

«Di persone al lavoro ce ne sono a sufficienza, questo è sicuro. Oggi sembrava un parcheggio pubblico, lì fuori. Quanti uomini erano in tutto? Una cinquantina?»

«Più o meno.»

Fece un fischio, mentre ci stringevamo la mano. «Chissà quanto le costerà, eh?»

«Ho quasi paura di scoprirlo», risposi.

Rise. «Quanti invitati ci saranno?»

«Un centinaio.»

«Sarà una bella festa», disse. «Alma non vede l'ora che arrivi il momento. Ultimamente non ha fatto altro che parlare del matrimonio, e sia lei sia io ammiramo i suoi sforzi.»

«Era il minimo che potessi fare.»

Rimase a guardarmi in silenzio ed ebbi la netta impressione che, nonostante la nostra conoscenza superficiale, mi capisse molto bene. Era un po' imbarazzante, ma probabilmente, essendo un uomo di chiesa, mi dissi, molti si rivolgevano a lui per chiedere consiglio e conforto. Quell'uomo doveva essere dotato della bontà d'animo di chi ha imparato ad ascoltare e a immedesimarsi nei crucci altrui.

Come se mi avesse letto nel pensiero, sorrise. «Allora, sarà per le otto?»

«Prima farebbe troppo caldo.»

«Farà caldo comunque. Ma credo che nessuno ci baderà.» Indicò la casa. «Sono felice che finalmente lei se ne sia preso cura. Questo è un posto magnifico. Lo è sempre stato.»

«Lo so.»

Si tolse gli occhiali e cominciò a strofinare le lenti con un lembo della camicia. «Già. Sa che le dico? È stato triste vederlo decadere negli ultimi anni. Ci voleva proprio qualcuno che tornasse a occuparsene.» Inforcò gli occhiali e sorrise di nuovo. «È buffo, ma ha mai notato che, più una cosa è speciale, più la gente tende a darla per scontata? È come se pensasse che tanto non cambierà mai. Proprio come quella casa. Sarebbero bastate poche attenzioni, e non sarebbe mai finita così.»

Trovai due messaggi sulla segreteria telefonica di casa: il primo del dottor Barnwell, che ci informava che Noah era tornato a Creekside e l'altro di Jane, che mi dava appuntamento lì verso le sette.

Quando arrivai il resto della famiglia era già andato e venuto. Con Noah era rimasta solo Kate: vedendomi entrare nella camera, si portò un dito alle labbra e si alzò dalla sedia di fianco al letto per abbracciarmi.

«Si è appena addormentato», mormorò. «Doveva essere esausto.»

Guardai mio suocero, sorpreso. Non lo avevo mai visto dormire durante il giorno. «Sta bene?»

«Si è un po' irritato quando lo abbiamo costretto a coricarsi, ma per il resto, sì, sta bene.» Mi tirò la manica. «Allora, come sono andati oggi i lavori nella casa? Voglio sapere tutto.»

L'aggiornai sui progressi fatti e osservai la sua espressione assorta mentre cercava di immaginarsi la situazione. «Jane ne sarà felicissima», disse infine. «A proposito, le ho parlato poco fa. Ha chiamato qui per sapere di papà.»

«Hanno avuto fortuna con il vestito?»

«Te lo dirà lei, ma al telefono mi sembrava entusiasta.» Kate prese la borsa appesa alla spalliera della seggiola. «Senti, adesso devo proprio andare. Sono rimasta qui tutto il pomeriggio e Grayson mi sta aspettando.» Mi baciò sulla guancia. «Abbi cura di papà, ma non lo svegliare, d'accordo? Ha bisogno di riposare.»

«Non farò rumore», promisi.

Mi avvicinai alla sedia che era davanti alla finestra e stavo per accomodarmi, quando udii una voce roca alle mie spalle.

«Ciao, Wilson. Grazie di essere venuto.»

Mi voltai e Noah mi strizzò l'occhio.

«Credevo stessi dormendo.»

«Ma no», disse, mettendosi a sedere sul letto. «Ho dovuto fingere. Quella mi è stata addosso tutto il giorno come una chioccia. Mi ha persino seguito in bagno.»

Scoppiai a ridere. «Proprio quello che volevi, no? Un po' di coccole da tua figlia.»

«Come no. Non mi hanno trattato così nemmeno quando ero in ospedale. Da come si comportava Kate sembrava pensare che avessi un piede nella fossa e l'altro su una buccia di banana.»

«Ti vedo in forma smagliante, oggi. Scommetto che ti senti come nuovo.»

«Potrebbe andare meglio», rispose con una scrollata di spalle, «ma anche peggio. Però la mia testa è a posto, se è a questo che ti riferisci.»

«Niente vertigini? Emicranie? Forse ti converrebbe davvero riposare un po'. Vuoi uno yogurt?»

Lui agitò minacciosamente l'indice contro di me. «Non cominciare anche tu, adesso. Sono un tipo paziente, ma non un santo. E non ne posso più: mi hanno tenuto al chiuso per giorni, senza mai farmi prendere una boccata d'aria fresca.» Indicò l'armadio. «Ti spiacerebbe passarmi il maglione?»

Sapevo già dove voleva andare.

«Fa ancora piuttosto caldo fuori», osservai.

«Dammi il maglione e basta. E non provare ad aiutarmi a metterlo: ti avverto, potrei rifilarti un pugno sul naso.»

Pochi minuti dopo uscimmo dalla camera con una confezione di pancarré. Mentre avanzava lentamente lo vidi rilassarsi. Sebbene Creekside rimanesse per noi un luogo estraneo, per lui era diventato la sua casa ed era naturale che lì si trovasse a proprio agio. Si fermava davanti alla porta aperta di ogni stanza a fare un saluto e a scambiare qualche parola con gli amici, promettendo che sarebbe tornato più tardi a intrattenerli con qualche poesia.

Non voleva che lo prendessi sottobraccio, così mi limitai a stargli a fianco. Sembrava un po' più incerto del solito, ma a mano a mano riacquistò sicurezza sulle gambe. Camminavamo molto piano e impiegammo parecchio tempo a raggiungere il laghetto. Mi accorsi che la radice sporgente era stata levata. Forse ci aveva pensato uno dei suoi figli, mi dissi.

Ci sedemmo sulla solita panchina, ma non c'era traccia del cigno. Allungai il collo per vedere se era da qualche parte nell'acqua bassa, mentre Noah cominciava a spezzettare il pane.

«Ho sentito quello che hai riferito a Kate a proposito della casa», mi disse. «Come stanno ora le mie rose?»

«Benissimo, vedrai che ti piacerà il lavoro dei giardinieri.»

Radunò i pezzetti di pane in grembo. «Quel giardino ha un grande significato per me. Ha quasi la tua età.»

«Davvero?»

«Le prime rose furono piantate nell'aprile del '51», confermò lui. «Con il passare degli anni ho dovuto in parte sostituirle, è ovvio, ma l'idea iniziale risale a quell'anno.»

«Jane mi raccontato che hai creato quel roseto per fare una sopresa ad Allie, per dimostrarle il tuo amore.»

Lui sbuffò. «È solo una parte della storia», disse. «A volte penso che Jane e Kate siano convinte che io abbia passato ogni momento della vita a corteggiare mia moglie.»

«Perché, non è stato così?» chiesi con finto raccapriccio.

Rise. «Non proprio. Ogni tanto ci capitava di litigare, come a tutti. La differenza era che sapevamo come fare pace.» Mise da parte i pezzi di pane. «E per quanto riguarda il giardino, cominciai a piantare le rose quando Allie aspettava Jane. Era incinta da pochi mesi e stava molto male. Pensava che le nausee sarebbero passate dopo le prime settimane, invece non fu così. Certi giorni non riusciva nemmeno ad alzarsi dal letto e io sapevo che, con l'arrivo dell'estate, la situazione sarebbe peggiorata. Per questo volevo offrirle qualcosa di bello da guardare dalla sua finestra.» Socchiuse gli occhi per ripararli dalla luce del sole. «Lo sapevi che inizialmente c'era un solo cuore, e non cinque?»

«No», risposi.

«Dopo la nascita di Jane, mi sembrò che il primo cuore fosse un po' spelacchiato e che ci volessero intorno altri cespugli per rinfoltirlo. Però continuavo a rimandare, dato che la prima volta era stato piuttosto faticoso, e quando finalmente mi decisi, Allie era di nuovo incinta. Vedendomi all'opera, le venne naturale pensare che lo facevo perché stavamo per avere un altro bambino, e ne fu molto commossa. A quel punto non potevo più smettere, capisci. È per questo che ti ho detto che la storia era più complicata. Il primo cuore era stato effettivamente un gesto d'amore, ma alla fine era diventato un obbligo... Non solo piantare le rose, ma anche curarle. E le rose sono esigenti. All'inizio i rami tendono ad allungarsi molto, e invece bisogna potarli in continuazione per dare loro la forma giusta. Così, tutte le volte che finivano di germogliare, dovevo prendere le cesoie per rimodellare i cespugli, e per molto tempo mi sembrò che il roseto non sarebbe mai cresciuto come volevo. E poi, che dolore. Quelle spine pungono davvero. Ho passato anni con le dita bendate come una mummia.»

Sorrisi. «Scommetto, però, che Allie apprezzava le tue fatiche.»

«Questo sì. Almeno all'inizio. Finché un giorno non mi chiese di levare tutto.»

All'inizio pensai di aver capito male, ma la sua espressione era seria. Allora mi tornò in mente la malinconia che avvertivo nei dipinti di Allie che raffiguravano il giardino.

«Perché?»

Noah guardò lontano, poi sospirò. «Per quanto amasse quel roseto, tutte le volte che guardava fuori dalla finestra si metteva a piangere.»

Mi ci volle un attimo per capirne la ragione.

«A causa di John», dissi infine, riferendomi al loro ultimo figlio, morto a quattro anni di meningite. Ricordai che anche Jane, come Noah, ne parlava di rado.

«La perdita di John rischiò di ucciderla.» Fece una pausa. «E anch'io soffrii molto. Era un bambino così dolce: aveva appena raggiunto l'età in cui si comincia a scoprire il mondo, quando tutto è nuovo ed entusiasmante. Essendo il più piccolo, correva sempre dietro ai fratelli, cercando di imitarli. Ed era anche sanissimo, non aveva mai avuto un'otite o un'influenza prima di ammalarsi. Per questo lo choc fu ancora più grande. La settimana prima giocava in giardino, quella successiva eravamo al suo funerale. In seguito Allie non riuscì più a dormire né a mangiare e, a parte piangere, non faceva che vagare in giro per la casa in stato di trance. Temevo che non si sarebbe più ripresa. Fu allora che mi chiese di distruggere il roseto.»

Tacque, immerso nei ricordi. Io rimasi in silenzio, non riuscivo nemmeno a immaginare la sofferenza causata dalla perdita di un figlio.

«E perché non l'hai fatto?» chiesi infine.

«Pensavo che fosse il dolore a indurla a parlare così», rispose piano. «E non sapevo se lo voleva per davvero. Così aspettai: se me lo avesse chiesto una seconda volta, l'avrei accontentata. Oppure le avrei proposto di togliere solo il cuore più esterno, e di conservare il resto. Alla fine non ne parlò più. Ma dopo la morte di John il giardino smise di essere una fonte di felicità per lei. E anche quando Kate si sposò lì, Allie era animata da sentimenti contraddittori.»

«I tuoi figli sanno perché ci sono cinque cuori concentrici?»

«Forse lo hanno capito, ma noi non glielo abbiamo mai spiegato. Quando da bambini ci facevano delle domande al riguardo, Allie rispondeva semplicemente che il roseto era stato un mio dono per lei. Per loro si è sempre trattato di un gesto romantico da parte mia.»

Con la coda dell'occhio, vidi il cigno nuotare nella nostra direzione. Pensai che Noah gli avrebbe gettato subito un pezzo di pane, invece non lo fece, limitandosi a osservarlo. Quando fu molto vicino l'animale esitò brevemente, poi si arrampicò sulla riva.

Un attimo dopo si mise a camminare verso di noi e Noah protese la mano. Il cigno si lasciò accarezzare e, mentre mio suocero gli parlava a bassa voce, venni colpito dal pensiero che avesse davvero sentito la sua mancanza.

Il cigno mangiò e infine, con mia grande meraviglia, si accovacciò ai suoi piedi, proprio come lui mi aveva detto.

Un'ora più tardi il cielo cominciò a rannuvolarsi. Le nubi dense e scure preannunciavano un tipico temporale estivo: pioggia battente per una ventina di minuti e poi di nuovo il sereno. Il cigno tornò verso il laghetto e io stavo per suggerire a Noah di rientrare, quando udii la voce di Anna alle mie spalle.

«Ciao, nonno! Ciao, papà!» ci chiamò. «Non vi abbiamo visti in camera e così abbiamo pensato che foste qui fuori.»

Mi voltai verso mia figlia, che aveva il viso raggiante. Dietro di lei Jane si avvicinava con aria stanca. Il suo sorriso aveva un che di forzato: sapevo che non era contenta di trovare lì il padre.

«Ciao, tesoro», risposi, alzandomi. Anna mi abbracciò con slancio, stringendomi forte.

«Com'è andata oggi?» le chiesi. «Avete trovato il vestito?»

Lei sembrava entusiasta. «Ti piacerà, vedrai. È perfetto.»

Jane intanto ci aveva raggiunto e mi girai ad abbracciarla con la spontaneità appena ritrovata. Il contatto con il suo corpo morbido e caldo mi rassicurò.

«Vieni qui», disse Noah alla nipote, indicando un

punto accanto a sé sulla panca. «Raccontami che cosa hai fatto oggi per prepararti al grande giorno.»

Anna si mise seduta e gli prese la mano. «È stato fantastico», cominciò. «Non pensavo che fosse così divertente. Abbiamo girato almeno una decina di negozi. E dovevi vedere Leslie! Anche per lei abbiamo trovato un vestito assolutamente spettacolare.»

Jane e io restammo in disparte ad ascoltare. Mentre continuava a parlare con vivacità, Anna stringeva la mano del nonno o lo stuzzicava affettuosamente. Nonostante i sessant'anni di differenza, il loro affiatamento era evidente, e io provai un impeto di orgoglio paterno di fronte alla giovane donna in cui la mia bambina si era trasformata. Dalla sua espressione intenerita, capii che mia moglie pensava la stessa cosa e, anche se non lo facevo più da molti anni, le cinsi la vita con il braccio.

Non ero sicuro della reazione che avrei suscitato – per un secondo lei parve quasi sussultare – ma quando la sentii rilassarsi contro il mio braccio tutto il mondo mi sembrò in armonia. In passato mi avevano sempre intimidito momenti simili, forse perché temevo inconsciamente che esprimere i miei sentimenti ad alta voce li avrebbe in qualche modo sminuiti. Ma adesso mi rendevo conto di aver sempre sbagliato e, avvicinandole le labbra all'orecchio, le sussurrai le parole che non mi sarei mai dovuto tenere dentro.

«Ti amo, Jane, e sono l'uomo più fortunato della Terra ad averti accanto.»

Lei non rispose, ma, appoggiandosi contro di me, mi fece capire tutto ciò che era necessario.

Mezzora dopo arrivò il primo tuono, un rombo cupo che parve scuotere il cielo. Dopo aver riaccompagnato Noah in camera, Jane e io salutammo Anna nel parcheggio e ci dirigemmo verso casa.

Mentre guidavo per le strade del centro osservai il sole che compariva a tratti tra le nubi, facendo risplendere il fiume come un nastro d'oro. Jane era stranamente silenziosa e guardava fuori dal finestrino. Aveva i capelli fermati dietro le orecchie e una camicetta rosa che illuminava la sua carnagione. Alla mano sinistra brillavano come sempre l'anello di fidanzamento con il diamante e la fede.

Poco dopo imboccammo la nostra via e ci fermammo sul vialetto davanti all'ingresso. Jane scese dalla macchina con un sorriso tirato.

«Scusa se non ho parlato molto, ma mi sento un po' stanca», disse.

«Non importa. Capisco che sia stata una settimana faticosa.»

Portai dentro la sua valigia e la osservai posare la borsa sul tavolino di fianco alla porta.

«Ti va un bicchiere di vino?» le chiesi.

Jane sbadigliò, scrollando la testa. «No, stasera no, grazie. Rischierei di addormentarmi all'istante. Però vorrei un po' d'acqua.»

Andammo in cucina e riempii due bicchieri. Lei

bevve una lunga sorsata appoggiandosi al bancone nella sua posa abituale, con una gamba piegata e il piede contro l'armadietto.

«Sono sfinita, oggi non ci siamo fermate un attimo. Anna ha voluto vedere un centinaio di vestiti prima di trovare quello giusto. E a dire il vero, alla fine è stata Leslie a mostrarglielo. Credo che anche lei fosse esasperata, la nostra figlia maggiore è una delle persone più indecise che abbia mai conosciuto.»

«E com'è il vestito?»

«Oh, un modello che si stringe in fondo, con una coda a sirena. Le sta molto bene e sono sicura che Keith lo troverà incantevole.»

«Scommetto che Anna sarà bellissima.»

«Infatti.» Dalla sua espressione capii che era soddisfatta. «Te lo farei vedere, ma lei non vuole. Ha detto che dev'essere una sorpresa.» Fece una pausa. «E qui com'è andata? Si sono presentati gli operai che avevi contattato?»

«C'erano tutti», risposi, poi l'aggiornai sui lavori svolti nella proprietà di Noah.

«Stupefacente», commentò lei, bevendo un altro sorso. «Considerato che ci siamo mossi all'ultimo momento.»

Fuori, la luce era oscurata dalle nubi e cominciavano a cadere le prime gocce di pioggia. Il fiume appariva plumbeo e minaccioso; un attimo dopo, un lampo attraversò il cielo, seguito dal tuono e la pioggia si fece più fitta. Anche Jane si girò verso la portafinestra che dava sulla terrazza, mentre il temporale si scatenava in tutta la sua furia.

«Secondo te pioverà, sabato?» chiese con voce stranamente tranquilla. Ripensai allora al suo atteggiamento silenzioso in macchina, e mi resi conto che non aveva commentato il fatto che il padre fosse andato di nuovo al laghetto.

«Non credo», risposi. «Le previsioni indicano bel tempo. Questo dovrebbe essere l'ultimo temporale di passaggio.»

Restammo lì a guardare la pioggia battente. L'unico rumore era il tamburellare lieve delle gocce d'acqua sui vetri. Jane fissava lontano e l'ombra di un sorriso le increspava le labbra.

«È bello, vero?» disse. «Osservare la pioggia. Lo facevamo anche a casa dei miei, seduti nel portico.»

«Mi ricordo.»

«È da tanto tempo che non lo facciamo più.»

«Hai ragione», confermai.

Sembrava assorta nei suoi pensieri e pregai che quella calma apparente non si trasformasse nell'abituale tristezza, che ero arrivato a temere. «C'è stata un'altra novità oggi», disse lei dopo un po', abbassando lo sguardo.

«Ah, sì?»

Alzò la testa e mi guardò negli occhi. I suoi scintillavano di lacrime trattenute.

«Non sarò seduta accanto a te durante la cerimonia.»

«Ah, no?»

«Dovrò stare davanti con Anna e Keith.»

«E perché?»

Jane strinse le dita sul bicchiere. «Anna mi ha chiesto di farle da testimone.» La sua voce era un po' malferma. «Ha detto che sono la persona a cui si sente più vicina e che…» Sbatté le palpebre e tirò su con il naso. «So che è sciocco, ma sono rimasta così sorpresa da non sapere quasi cosa rispondere. L'idea non mi aveva mai sfiorato la mente. Ed era tanto affettuosa, quando me l'ha chiesto, come se per lei fosse davvero importante.»

Si asciugò le lacrime, e anch'io mi commossi. Dalle nostre parti capitava spesso che chiedessero al padre di fare da testimone alle nozze, ma era molto più raro che succedesse alla madre.

«Oh, tesoro», mormorai. «È meraviglioso. Sono tanto contento per te.»

Altri lampi e altri tuoni si succedettero, senza che noi ci badassimo, mentre restavamo seduti a lungo in cucina a goderci la nostra tacita gioia.

Quando la pioggia cessò Jane aprì la portafinestra e uscì in terrazza. L'acqua gorgogliava ancora nelle grondaie e baffi di vapore si alzavano dal pavimento.

La seguii fuori, con le articolazioni indolenzite dalle fatiche di quel giorno. Ruotai le spalle per allentare un po' la tensione.

«Hai mangiato?» mi chiese Jane.

«Non ancora. Vuoi uscire a cena?»

Scrollò la testa. «No, grazie. Sono esausta.»

«E se ci facessimo portare a casa qualcosa di… semplice.»

«Del tipo?»

«Una pizza.»

Lei si posò le mani sui fianchi. «Non ordiniamo una pizza da quando Leslie se n'è andata di casa.»

«Lo so. Però è una buona idea, non trovi?»

«Certo, ma il fatto è che poi non riesci a digerirla.»

«È vero», ammisi, «ma stasera ho voglia di vivere pericolosamente.»

«E se preparassi un piatto veloce? Guarderò nel freezer.»

«Ma dai», replicai, «sono anni che non mangiamo una pizza. Io e te da soli, voglio dire. Ci mettiamo comodi sul divano e prendiamo le fette direttamente dalla scatola, come una volta. Sarà divertente.»

Mi fissò, perplessa. «Davvero vuoi fare qualcosa di… divertente?»

«Sì», confermai.

«Allora telefono.»

«Ci penso io. Che cosa vuoi?»

Lei ci rifletté un attimo. «Che ne dici di una pizza della casa?»

«Perché no.»

La pizza arrivò mezzora dopo. Jane intanto si era infilata un paio di jeans e una maglietta e ci sedemmo a mangiarla sul divano, come due studenti universitari, dividendoci una lattina di birra.

Poi riprese a raccontarmi della sua giornata. Anna aveva voluto assolutamente che anche la madre e la sorella si comprassero un abito per l'occasione.

«Leslie ha trovato un vestito molto elegante, lungo fino al ginocchio. Le stava così bene che anche Anna ha voluto provarselo.» Jane sorrise. «Le ragazze sono diventate davvero belle.»

«Hanno ereditato i nostri geni», dichiarai serio.

Al che lei scoppiò a ridere, con la bocca piena di pizza.

Con il trascorrere delle ore il cielo si era rasserenato e le nuvole illuminate dalla luna erano bordate d'argento. Una volta finito di mangiare, restammo seduti ad ascoltare il suono delle campane a vento agitate dalla brezza. Jane reclinò la testa sul cuscino del divano e mi guardò con aria sensuale.

«Hai avuto proprio un'ottima idea», disse. «Ero affamata.»

«Non hai mangiato molto, però.»

«Devo entrare nel vestito nuovo, sabato.»

«Se fossi in te non mi preoccuperei», risposi. «Sei bella come il giorno in cui ti ho sposato.»

Il suo sorriso teso mi fece capire che le mie parole non avevano sortito l'effetto desiderato. Girò la testa di scatto verso di me. «Wilson, posso farti una domanda?»

«Certo.»

«Voglio che tu mi dica la verità.»

«Spara.»

Esitò. «Riguarda quello che è successo oggi al laghetto.»

Pensai subito al cigno, ma prima che potessi spiegarle che era stato Noah a chiedermi di accompagnarlo lì – e che ci sarebbe andato comunque, anche da solo – lei proseguì.

«Che cosa intendevi quando hai detto quella frase?» mi chiese.

Aggrottai la fronte. «Temo di non capire.»

«Quando hai detto di amarmi e che eri l'uomo più fortunato della Terra.»

Ero allibito. «Intendevo proprio quello», replicai confuso.

«Tutto qui?»

«Sì», confermai senza riuscire a nascondere la mia perplessità. «Perché?»

«Sto cercando di capire perché lo hai fatto», spiegò pragmatica. «Non è da te tirare fuori queste cose di punto in bianco.»

«Ecco... mi sembrava il momento giusto.»

Alla mia risposta, strinse le labbra, l'espressione grave. Alzò gli occhi al soffitto, quasi per raccogliere il coraggio, poi tornò a fissarmi. «Hai una relazione con un'altra?» domandò.

Sgranai gli occhi. «Cosa?»

«Mi hai sentito.»

Mi resi conto che non stava affatto scherzando. Mi scrutava per valutare il mio comportamento. Presi la sua mano tra le mie e la guardai negli occhi.

«No», risposi con voce ferma. «Non ho nessuna relazione. Non ne ho mai avute, e nemmeno ne sento il desiderio.»

Dopo avermi osservato ancora un po', annuì. «D'accordo», disse.

«Parlo sul serio», sottolineai.

Lei sorrise e mi strinse la mano. «Ti credo. Non lo pensavo, ma avevo bisogno di chiedertelo.»

La guardai perplesso. «E come mai ti è saltata in mente quest'idea?»

«Sei stato tu», mi rispose. «Con il tuo comportamento.»

«Non capisco.»

Mi rivolse un'occhiata critica. «Senti, cerca di metterti nei miei panni. Per prima cosa, ti metti a fare jogging per dimagrire. Poi cominci a cucinare e a informarti sulle mie attività quotidiane. Come se non bastasse, nell'ultima settimana ti sei dato da fare in maniera incredibile. E adesso salti fuori con queste frasi carine. All'inizio ho creduto si trattasse di una fase passeggera, poi mi sono detta che era per via del matrimonio. Ma adesso... ecco, all'improvviso sembri diventato un altro. Cioè, ti scusi di non essere stato abbastanza presente? Dici di amarmi di punto in bianco? Mi ascolti per ore mentre ti parlo dello shopping? Prendiamo una pizza e divertiamoci? Tutto ciò è fantastico, ma volevo essere sicura che non lo facessi perché ti sentivi in colpa.»

Scrollai la testa. «Non mi sento in colpa. Be', se non per il fatto di aver sempre lavorato troppo. Di

questo mi pento. Ma per quanto riguarda il mio atteggiamento... è solo...»

Lasciai la frase a metà, e lei si sporse verso di me.

«Che cosa?» mi incalzò.

«Come ti ho detto l'altra sera, non sono stato il
migliore dei mariti e non so... sto cercando di cambiare, ecco.»

«Perché?»

Voglio che tu mi ami di nuovo, pensai, ma lo tenni
per me.

«Perché», risposi dopo un istante, «tu e i ragazzi
siete le persone più importanti della mia vita... lo
siete sempre stati e io ho sprecato troppi anni, tra-
scurandovi. So di non poter cambiare il passato, ma
posso cambiare il futuro. Anch'io posso cambiare. E
lo farò.»

Lei mi guardò seria. «Vuoi dire che smetterai di lavorare tanto?»

Il suo tono era dolce ma scettico, e provai una
stretta al cuore al pensiero di come dovevo essere diventato.

«Se mi chiedessi di andare in pensione adesso, lo
farei», risposi con decisione.

I suoi occhi assunsero di nuovo quella luce seducente.

«Visto che avevo ragione? Non sei in te, ultimamente.»

Era evidente che scherzava – non sapeva bene se
credermi o meno – ma capii che aveva apprezzato
le mie parole.

«Adesso posso farti io una domanda?» le chiesi.

«Perché no?»

«Dato che Anna sarà a casa dei genitori di Keith, e Leslie e Joseph non arriveranno prima di venerdì, che ne diresti di qualcosa di speciale per noi due domani sera?»

«Del tipo?»

«Be'… lascia che ti faccia una sorpresa.»

Lei mi rivolse un sorriso civettuolo. «Sai che mi piacciono le sorprese.»

«Sì, lo so.»

«Sarebbe bellissimo», rispose senza nascondere il proprio entusiasmo.

Quattordici

Il giovedì mattina giunsi nella proprietà di Noah con il bagagliaio dell'auto stracolmo. Vidi che erano già arrivati i furgoni e il mio amico Nathan Little mi salutò con un cenno della mano dall'altro lato del giardino, facendomi capire che mi avrebbe raggiunto presto.

Parcheggiai all'ombra e mi misi subito al lavoro, salendo sulla scala e togliendo anche le ultime imposte per permettere di completare la pulizia della facciata.

Finii di riporre le assi in cantina e poco dopo si presentarono cinque uomini dell'impresa di pulizie. Mentre gli imbianchini lavoravano al pianterreno loro pulirono la cucina, la scala, i bagni, le finestre e le camere di sopra, con grande rapidità ed efficienza. Rifecero i letti con le lenzuola e le coperte che avevo portato da casa, poi arrivò Nathan con i fiori freschi da mettere in ogni stanza.

Un'ora dopo comparve il furgoncino della ditta di

noleggio e gli operai cominciarono a scaricare le sedie bianche pieghevoli e a disporle in file. Accanto al pergolato erano state scavate delle buche, dove furono infilati vasi di glicine, e i rami dai fiori profumati vennero intrecciati alla struttura di sostegno. Al di là del pergolato, il roseto era ora una vivida esplosione di colori.

Nonostante le previsioni di bel tempo, avevo predisposto l'allestimento di un tendone, che avrebbe offerto riparo anche dal sole. La tenda bianca venne montata nel corso della mattinata, e intorno furono piantati altri vasi di glicine e pali a cui erano appese file di luci bianche.

Fu ripulita anche la fontana al centro del roseto e, dopo l'ora di pranzo, potei aprire l'acqua e ascoltare il gorgoglio gentile della cascatella a tre livelli.

L'accordatore arrivò nel primo pomeriggio e impiegò tre ore per rimettere a punto il vecchio pianoforte. Quando ebbe concluso vennero sistemati i microfoni. Una serie di altoparlanti avrebbe diffuso la voce del pastore e la musica in ogni angolo della casa.

L'ampio salotto venne riempito di tavoli coperti da tovaglie di lino, a eccezione della «pista da ballo» di fronte al caminetto. Poi comparvero come per magia candele e centrotavola fioriti, cosicché i camerieri del ristorante, al loro arrivo, dovettero solo ripiegare i tovaglioli a forma di cigno per dare il tocco finale all'apparecchiatura.

Feci anche preparare un tavolo nel portico. E per

completare la decorazione della sala, vennero sistemati in ogni angolo ibischi in vaso.

Verso metà pomeriggio i preparativi potevano dirsi ultimati. Mentre gli uomini ricaricavano le loro cose sui furgoni feci un giro da solo per le stanze. Ero soddisfatto. Nonostante i ritmi frenetici dei due giorni precedenti, tutto era filato liscio e, sebbene i mobili originali della sala fossero stati spostati, la casa aveva riacquistato l'aspetto sontuoso di un tempo.

Osservai i veicoli lasciare la proprietà e mi accinsi anch'io a rientrare. Ricordai che quel giorno Jane e Anna dovevano andare dalla sarta, poi a comprare le scarpe e infine dalla manicure. Mi domandai che cosa stesse pensando mia moglie del nostro appuntamento per quella sera. Conoscendomi bene, era improbabile che si aspettasse granché in termini di sorpresa, nonostante le mie promesse.

Nel corso degli anni ero stato bravissimo a deludere le sue aspettative, e adesso speravo che quel mio vecchio atteggiamento avrebbe reso ancora più speciale la nostra serata.

Mentre davo un'ultima occhiata intorno, mi sentii certo che i mesi trascorsi a preparare il nostro anniversario avrebbero dato i loro frutti. Mantenere il segreto con Jane era stato tutt'altro che facile, ma adesso che il momento era vicinissimo, mi rendevo conto che gran parte di quello che avevo desiderato per noi due era già accaduto. In origine avevo pensato al mio regalo come al pegno di un nuovo inizio; adesso era diventato il traguardo di un viaggio intrapreso da me più di un anno prima.

Terminato il mio giro di controllo, salii in macchina. Durante il tragitto mi fermai al supermercato e poi feci un altro paio soste per ritirare quello che mi serviva. Quando giunsi a casa erano quasi le cinque, e mi concessi solo qualche minuto per riprendermi prima di infilarmi sotto la doccia.

Sapendo poi di avere poco tempo a disposizione, misi in atto il mio piano e disposi i vari oggetti nelle stanze. Avevo chiesto ad Anna di telefonarmi non appena Jane fosse partita da casa sua e, quando mi chiamò, calcolai che avevo ancora circa un quarto d'ora di tempo. Mi accertai di non aver scordato niente, poi aprii la porta d'ingresso e vi attaccai un biglietto che Jane non avrebbe potuto ignorare.

«Bentornata a casa, tesoro. La tua sorpresa ti aspetta dentro...»

A quel punto risalii in macchina e mi allontanai.

Quindici

Erano passate quasi tre ore quando, guardando fuori dalla finestra di casa di Noah, vidi i fari che si avvicinavano.

Mentre mi lisciavo la giacca, cercai di immaginarmi lo stato d'animo di Jane. Al suo ritorno, era rimasta stupita di non vedere la mia auto nel vialetto? mi chiesi. Di sicuro doveva aver notato che avevo tirato le tende alle finestre prima di uscire e magari era restata per qualche minuto seduta in macchina, perplessa e incuriosita.

Me la vedevo poi scendere con in mano i sacchetti degli acquisti e avvicinarsi alla porta dove era attaccato il biglietto.

Quando l'aveva letto, come aveva reagito? Con un sorriso titubante? Senza dubbio la mia assenza doveva aver accresciuto la sua incertezza.

E allora chissà che cosa aveva pensato, una volta che si era trovata davanti al salotto illuminato solo dal chiarore delle candele, mentre nell'aria si diffondevano le note di una canzone di Billie Holiday? Quanto tempo aveva impiegato per accorgersi della scia di petali di rosa che, partendo dall'ingresso, attraversava la sala e saliva per le scale? Oppure del secondo biglietto, che avevo attaccato alla ringhiera?

Tesoro, questa serata è per te. Ma per parteciparvi devi interpretare una parte. Prendila come un gioco: ti darò una serie di istruzioni e tu avrai il compito di eseguirle.

La prima è semplice: spegni le candele in salotto e segui i petali di rosa fino in camera da letto. Là troverai altre indicazioni.

Si era lasciata sfuggire un'esclamazione di sorpresa? Oppure aveva riso incredula? Non ne ero sicuro, ma conoscendola, sapevo che sarebbe stata al gioco. Una volta giunta in camera da letto, la sua curiosità doveva essere alle stelle.

Lì l'attendevano altre candele accese e la dolce musica di Chopin. Sul letto erano posati un mazzo di trenta rose e due pacchetti, con sopra due buste. Su una c'era scritto: «Da aprire subito», e sull'altra: «Da aprire alle otto».

Me la immaginavo portarsi le rose al viso per annusarne il profumo. Una volta aperta la prima busta, avrebbe trovato scritto sul biglietto:

Hai avuto una giornata piena, così ho pensato che avresti gradito un momento di relax prima del

nostro appuntamento. Apri il regalo accompagna-
to da questo biglietto. Nel bagno troverai altre
istruzioni.

Il pacchetto conteneva una confezione di oli da
bagno e lozioni per il corpo, oltre a una vestaglia di
seta.

Sapevo che Jane sarebbe stata tentata di aprire subito anche l'altro. Forse si sarebbe chiesta se seguire
o no le mie istruzioni. Forse avrebbe accarezzato con
le dita la carta da regalo, ma alla fine lo avrebbe lasciato lì.

Sullo specchio del bagno c'era questo messaggio:

Scegli l'olio che preferisci, intanto che riempi la
vasca d'acqua calda. Lì accanto troverai una bot-
tiglia del tuo vino preferito, già stappato. Versate-
ne un bicchiere. Poi spogliati, entra nella vasca e
rilassati. Quando avrai finito, potrai provare una
nuova lozione per il corpo. Infine, indossa la ve-
staglia e siediti sul letto ad aprire l'altro regalo.

Nel secondo pacchetto c'erano un vestito da sera
e un paio di scarpe con il tacco alto, che avevo acquistato dopo aver verificato le sue misure nel guar-
daroba. Il biglietto che accompagnava il dono era
semplice.

Ora hai quasi finito. Indossa il vestito e le scar-
pe. Se vuoi, puoi mettere gli orecchini che ti ho re-

galato quando eravamo fidanzati. Non indugiare troppo, però, mia cara: hai solo quarantacinque minuti per prepararti. Alle nove meno un quarto scendi, esci di casa e chiudi a chiave la porta d'ingresso. Poi chiudi anche gli occhi, dando le spalle alla strada. Quando ti girerai, aprili, e la nostra serata avrà inizio...

Ad aspettarla davanti a casa avrebbe trovato la limousine che avevo prenotato. L'autista aveva ricevuto l'indicazione di dire: «La signora Lewis? Adesso la porterò da suo marito. Vuole che apra questo non appena sale in macchina. Le ha lasciato qualcos'altro anche all'interno».
A quel punto l'autista le avrebbe porto il pacchetto che conteneva una boccetta di profumo, accompagnato da un breve biglietto:

L'ho scelto apposta per la serata. Spruzzatene un po' sulla pelle e apri subito l'altro regalo. Il biglietto ti spiegherà che cosa fare.

Nel pacchetto sul sedile della limousine c'era una sciarpa di seta nera. Il biglietto nascosto tra le sue pieghe diceva:

Verrai condotta al luogo del nostro appuntamento, ma voglio che sia una sorpresa. Usa la sciarpa per bendarti gli occhi, e non barare. Il tragitto durerà meno di quindici minuti e l'auti-

sta non partirà finché tu non dirai: «Sono pronta». Quando l'auto si fermerà, lui ti aprirà la portiera. Tu continua a rimanere bendata e chiedigli di guidarti fuori dalla macchina. Io sarò lì ad aspettarti.

Sedici

Quando la limousine si fermò feci un profondo respiro. L'autista scese e mi rivolse un cenno per indicarmi che tutto era andato come previsto. Io annuii, nervoso.

Nelle ultime due ore il mio stato d'animo era stato un alternarsi di aspettativa e terrore al pensiero che Jane trovasse tutta la messinscena... ecco, ridicola. Mentre l'uomo si avvicinava alla portiera, la salivazione mi si azzerò. Incrociai le braccia e mi appoggiai alla balaustra del portico, facendo del mio meglio per assumere una posa disinvolta. La luna, bianchissima, splendeva nel cielo e l'aria era pervasa dal canto dei grilli.

L'autista aprì la portiera. Vidi spuntare la gamba di Jane e poi, quasi al rallentatore, lei scese dall'auto, con gli occhi bendati.

Rimasi a osservarla in silenzio. Alla luce della luna scorsi sul suo viso l'ombra di un sorriso e apprezzai il suo aspetto al tempo stesso sexy ed elegante. Feci segno all'autista che poteva andare.

Mentre la limousine si allontanava, mi avvicinai lentamente a Jane, facendo appello a tutto il mio coraggio.

«Sei bellissima», le mormorai all'orecchio.

Lei si voltò verso di me e il suo sorriso si allargò. «Grazie», disse aspettando un seguito. Poi, vedendo che restavo in silenzio, chiese: «Posso togliermi la benda?»

Mi guardai intorno per accertarmi che tutto fosse come volevo.

«Sì», mormorai.

Lei si slacciò la sciarpa, che le scivolò dal viso. I suoi occhi impiegarono qualche istante per mettere a fuoco il mio volto, poi la casa, quindi di nuovo me. Mi ero vestito con uno smoking nuovo, fatto su misura. Jane sbatté gli occhi come se si ridestasse da un sogno.

«Pensavo ti avrebbe fatto piacere dare un'occhiata in giro prima di sabato», le spiegai.

Lei lasciò vagare lentamente lo sguardo da una parte all'altra. Anche da lontano la proprietà sembrava un giardino incantato. Il tendone bianco spiccava nell'oscurità e le luci nel prato illuminavano i cespugli di rose. L'acqua della fontana brillava al chiaro di luna.

«Wilson... ma... è incredibile», balbettò.

La presi per mano. Sentivo l'aroma del profumo che le avevo regalato e notai che portava gli orecchi-

245

ni di brillanti. Le sue labbra piene erano sottolineate dal rossetto scuro.

Era stupefatta. «Ma come?... E in un paio di giorni...»

«Ti avevo promesso che sarebbe stato magnifico», dichiarai. «Come direbbe Noah, non capita tutti i sabati di celebrare un matrimonio da queste parti.»

Solo allora Jane parve notare il mio aspetto. Fece un passo indietro per guardarmi meglio.

«Porti lo smoking», disse.

«L'ho fatto fare per il matrimonio, ma ho pensato di inaugurarlo oggi.»

Mi esaminò dalla testa ai piedi. «Sei... affascinante», mormorò.

«Sembri sorpresa.»

«Infatti», riconobbe lei, poi si corresse. «Cioè, non sono sorpresa dal tuo aspetto, è solo che non mi aspettavo di vederti vestito così.»

«Lo prenderò come un complimento.»

Lei scoppiò a ridere. «Andiamo», disse tirandomi per la mano. «Voglio vedere tutto da vicino.»

Era uno spettacolo davvero magnifico. Montata in mezzo alle querce e ai cipressi, la tela della tenda vibrava maestosa alla luce dei riflettori. Le sedie bianche erano state disposte in file curve, come in un'orchestra, e riprendevano la linea del giardino poco oltre. Il pergolato brillava di luci e colori e ovunque volgessimo lo sguardo, era un tripudio di fiori.

Jane cominciò ad avanzare lentamente sul sentiero. Sapevo che si immaginava gli invitati riuniti lì e quello che avrebbe visto Anna dal suo punto di osservazione. Quando si voltò verso di me, aveva un'espressione confusa e incredula.

«Non pensavo potesse diventare così.»

Mi schiarii la voce. «Hanno fatto un buon lavoro, in effetti.»

Scrollò la testa. «No», disse. «È tutto merito tuo.»

Una volta raggiunto il pergolato, mi lasciò la mano e proseguì da sola. Rimasi a osservarla mentre passava le dita sulla struttura di legno. Poi il suo sguardo si posò sul giardino.

«Ha ripreso esattamente l'aspetto di un tempo», disse ammirata.

Mentre camminava sotto il pergolato, io guardavo il suo vestito, il modo in cui accarezzava le curve che conoscevo tanto bene. Che cosa c'era in lei che riusciva ancora a togliermi il respiro? Era la sua personalità? La confidenza di tanti anni? Ma nonostante il tempo trascorso, l'effetto che mi faceva era sempre lo stesso.

Entrammo nel roseto e girammo intorno al cuore più esterno: le luci della tenda alle nostre spalle arrivavano affievolite e la fontana gorgogliava come un ruscello di montagna. Jane osservava la scena in silenzio, voltandosi di tanto in tanto per accertarsi che le fossi sempre vicino. Dopo aver esaminato i cespugli di rose si fermò e staccò un bocciolo rosso. Tolse le spine, poi si avvicinò e me lo infilò nell'occhiello del bavero. Poi mi accarezzò il petto e alzò lo sguardo.

«Così il tuo aspetto è più curato», disse.

«Grazie.»

«Ti ho già detto che sei bellissimo vestito così?»

«Credo di sì, se non sbaglio. Ma ripetilo pure tutte le volte che vuoi.»

Mi posò una mano sul braccio. «Grazie per tutto quello che hai fatto. Anna ne sarà felice.»

«Figurati.»

Si appoggiò contro di me e mormorò: «E grazie anche per stasera. Mi hai preparato davvero un bel... gioco».

In passato nei avrei approfittato per incalzarla e farmi assicurare che ero stato bravo, invece mi limitai a prenderla per mano.

«Vieni a vedere.»

«Non dirmi che nel fienile c'è una carrozza con un tiro di cavalli bianchi», mi stuzzicò lei.

Scrollai il capo. «No. Ma se la ritieni una buona idea, posso provare a rimediarla.»

Lei rise, stringendosi a me. Il calore del suo corpo era quasi irresistibile mentre i suoi occhi lampeggiavano maliziosi. «Allora che cos'è che vuoi mostrarmi ancora?»

«Un'altra sorpresa.»

«Non so se il mio cuore reggerà il colpo.»

«Andiamo», le dissi. «Da questa parte.»

La condussi fuori dal giardino lungo un sentiero. Sopra di noi le stelle brillavano nel cielo terso e la luna si rifletteva sul fiume oltre la casa. I rami degli alberi, carichi di tillandsia, si allungavano in tutte le direzioni come dita spettrali. L'aria era pervasa dall'aroma familiare di resina e sale, una miscela tipica della pianura costiera. Nel silenzio, avvertivo il contatto del pollice di Jane che mi accarezzava la mano.

Anche lei pareva non avere fretta. Camminavamo lentamente, ascoltando i suoni della notte: i grilli e le cicale, il fruscio delle foglie, lo scricchiolio della ghiaia sotto i nostri piedi.

Il suo sguardo si posò sulla casa davanti a noi. Stagliata contro gli alberi, era un'immagine senza tempo, resa quasi opulenta dalle colonne del portico anteriore. Il tetto, diventato scuro nel tempo, sembrava confondersi con il cielo della sera e dietro le finestre si scorgeva il bagliore giallo delle candele accese.

Quando entrammo in casa le fiammelle tremolarono per la corrente d'aria. Jane rimase sulla soglia a guardare la sala. Il pianoforte in un angolo rifletteva la luce soffusa e il pavimento di legno davanti al camino era lucido di cera. I tavoli -- con i candidi tovaglioli ripiegati a forma di cigno e le stoviglie di porcellana e cristallo – somigliavano a quelli di un ristorante esclusivo. Davanti a ogni coperto c'era una calice d'argento e i tavoli addossati alla parete di fondo, che sarebbero serviti per il buffet, erano pieni di fiori.

«Oh, Wilson...» sospirò lei.

«Sarà diverso quando arriveranno tutti, sabato, e volevo che vedessi com'era senza gli invitati.»

Mi lasciò la mano e si aggirò per la sala, esaminando ogni particolare.

Io andai in cucina, stappai il vino e riempii due bicchieri. Alzando gli occhi vidi che Jane stava osservando il pianoforte, il viso di profilo.

«Chi lo suonerà?» domandò.

Sorrisi. «Se avessi potuto scegliere, chi avresti voluto?»

Lei mi lanciò un'occhiata carica d: speranza. «John Peterson?»

Annuii.

«Ma com'è possibile? Non suona al *Chelsea*?»

«Sai che ha sempre avuto un debole per te e Anna. E il *Chelsea* sopravviverà per una sera anche senza di lui.»

Jane continuò a guardare con ammirazione la sala mentre mi raggiungeva. «Non capisco come tu abbia potuto allestire tutto quanto così in fretta... cioè, è stata una decisione di pochi giorni fa.»

Le porsi un bicchiere. «Allora approvi?»

«Se approvo?» Jane bevve un sorso di vino. «La casa non è mai stata così bella.»

La guardai in viso e osservai la luce delle candele che si rifletteva nei suoi occhi.

«Hai fame?» chiesi.

Lei parve sorpresa. «A dire il vero, preferirei gustarmi il vino e guardarmi ancora un po' intorno prima di andare via.»

«Non dobbiamo andare da nessuna parte. Ceneremo qui.»

«Ma come? La dispensa è vuota.»

«Aspetta e vedrai.» Indicai alle mie spalle. «Perché non rimani in sala mentre ci penso io?»

La lasciai e tornai in cucina, dove i preparativi per l'elaborata cena che avevo in programma erano già avviati. La sogliola ripiena di granchio era pronta da infornare; gli ingredienti per la salsa olandese già pesati e messi da parte, restava solo da miscelarli in padella. L'insalata pulita.

Ogni tanto lanciavo un'occhiata di là e vedevo Jane muoversi lentamente per la sala. Sebbene tutti i tavoli fossero uguali, si fermava vicino a ciascuno, immaginando gli invitati che l'avrebbero occupato. Spostava distrattamente le posate e ruotava i vasi di fiori, rimettendoli poi quasi sempre nella posizione originale. Era animata da una specie di tranquilla soddisfazione, che trovavo stranamente commovente. D'altronde in quei giorni quasi tutto in lei mi emozionava.

Nel silenzio, ripensai agli avvenimenti che ci avevano portato fin lì. L'esperienza mi aveva insegnato che anche i ricordi più cari sbiadiscono con il passare del tempo, però non volevo dimenticare neppure un istante della nostra ultima settimana. E volevo che anche lei serbasse il ricordo di ogni attimo.

«Jane?» la chiamai. Non la vedevo più e immaginai che fosse vicino al pianoforte.

Comparve dall'angolo della sala. Anche da lontano il suo viso era raggiante. «Sì?»

«Mi faresti un piacere?»

«Ma certo. Vuoi una mano?»

«No, ma ho lasciato il grembiule di sopra. Ti spiacerebbe andare a prenderlo? È sul letto nella tua vecchia camera.»

«Volentieri», disse.

Un attimo dopo la vidi scomparire su per la scala e sapevo che non sarebbe più tornata di sotto fino al momento di cenare.

Fischiettando, mi misi a pulire gli asparagi, cercando di immaginare la sua reazione quando avrebbe scoperto il regalo.

«Felice anniversario», mormorai tra me.

Mentre l'acqua bolliva sui fornelli, infornai la sogliola e poi uscii sul portico posteriore, dove era stato apparecchiato un tavolo per due. Mi chiesi se fosse il caso di aprire lo champagne, ma decisi di aspettare Jane e feci un profondo respiro per schiarirmi le idee.

Ormai lei doveva aver trovato quello che avevo lasciato sul letto, mi dissi. L'album – con la copertina di pelle intagliata e rilegato a mano – era stupendo, ma speravo che fosse soprattutto il suo contenuto a commuoverla. Era il regalo che avevo messo insieme, con l'aiuto di tanti altri, per il nostro trentesimo anniversario. Come gli altri doni della serata, anche questo era accompagnato da un biglietto. Si trattava della lettera che avevo cercato invano di scriverle in passato, quella che mi aveva suggerito Noah, e sebbene una volta ritenessi assurda l'idea, le rivelazioni dell'ultimo anno, e in particolare della settimana appena trascorsa, mi avevano dato l'ispirazione.

Dopo averla scritta l'avevo riletta più volte. Ricordavo ancora a memoria il suo contenuto.

Amore mio,

è tardi e sono seduto alla mia scrivania. La casa è silenziosa, a eccezione del ticchettio dell'orologio del nonno. Tu dormi di sopra e, sebbene aneli al calore del tuo corpo contro il mio, qualcosa mi induce a scrivere questa lettera, anche se non so bene da che parte cominciare. E nemmeno, mi rendo conto, che cosa dire. Ma sono giunto alla conclusione che, dopo trent'anni, è il minimo che io possa fare, e non solo per te, ma anche per me.

È passato davvero tanto tempo? In effetti è così, ma l'idea mi stupisce ancora. Dopo tutto, certe cose non sono cambiate affatto. La mattina, per esempio, il mio primo pensiero al risveglio sei tu, come sempre. Spesso mi giro verso di te e ti guardo, vedo i tuoi capelli sparsi sul cuscino, il tuo braccio gettato sopra la testa, il lieve movimento del tuo petto. A volte, mentre dormi, mi avvicino nella speranza che mi faccia entrare nei tuoi sogni. D'altronde, questa è sempre stata la mia impressione. Per tutto il tempo del nostro matrimonio, tu sei stata il mio sogno e mi considero un uomo for-

tunato dal giorno in cui camminammo per la prima volta insieme sotto la pioggia.

Ripenso spesso a quel giorno. È una scena che mi porto dentro, e tutte le volte che un lampo squarcia il cielo provo una sorta di déjà vu. In quei momenti mi sembra che siamo destinati a ricominciare daccapo e sento il battito del mio giovane cuore, quello di un uomo che ha appena scorto il proprio futuro e non sa immaginare una vita senza di te.

Provo la stessa sensazione con quasi tutti i ricordi che ti riguardano. Se penso al Natale, ti vedo seduta sotto l'albero mentre distribuisci allegramente i doni ai bambini. Se penso alle notti d'estate, avverto il contatto della tua mano nella mia mentre camminiamo sotto le stelle. Anche quando sono al lavoro mi capita spesso di chiedermi che cosa starai facendo in quel momento. Semplici dettagli: immagino uno sbaffo di terra sulla tua guancia mentre tagli i fiori in giardino, oppure come stai appoggiata al bancone della cucina, mentre ti passi una mano tra i capelli parlando al telefono. Tu sei lì, in tutto quello che sono, in tutto quello che faccio e, guardandomi indietro, ora so che avrei dovuto dirti quanto sei sempre stata importante per me.

Mi spiace di non averlo fatto prima e mi spiace anche per tutte le volte che ti ho deluso. Vorrei cambiare il passato, ma sappiamo entrambi che non è possibile. Eppure, ho capito che, se il passa-

to è immodificabile, possiamo addolcirne la nostra percezione, ed è proprio questa la ragione dell'album.

Dentro ci troverai moltissime fotografie. Alcune sono copie di quelle già raccolte nei nostri album, ma la maggior parte no. Ho chiesto ad amici e parenti di darmi le immagini che avevano di noi due e nell'ultimo anno me le sono fatte spedire da tutto il paese. Troverai una foto scattata da Kate al battesimo di Leslie, un'altra fatta da Joshua Tundle durante un picnic che risale a un quarto di secolo fa. Noah ha contribuito con un'istantanea che ci ritrae durante un piovoso Giorno del Ringraziamento, quando eri incinta di Joseph, e se guardi attentamente, riconoscerai il posto dove mi resi conto per la prima volta di essermi innamorato di te. Anche Anna, Leslie e Joseph hanno dato il loro apporto.

All'arrivo di una fotografia, cercavo di ricordare il momento esatto in cui era stata scattata. All'inizio la mia memoria era come l'immagine stessa – un'istantanea isolata –, ma poi ho scoperto che, se chiudevo gli occhi e mi concentravo, il tempo cominciava a scorrere all'indietro e mi tornavano alla mente i miei pensieri in quella circostanza.

E questa è l'altra parte dell'album. Sulla pagina opposta, per ogni fotografia ho annotato quello che ricordo di quei momenti o, più precisamente, di te.

Ho intitolato quest'album: «Le cose che avrei dovuto dire».

Una volta ti feci un giuramento sui gradini del municipio e, dopo trent'anni come tuo marito, è giunto il momento di fartene un altro. D'ora in poi diventerò l'uomo che avrei sempre dovuto essere. Sarò un marito più romantico e renderò indimenticabili gli anni che ancora ci restano da vivere insieme. E a ogni istante, la mia speranza è di dire o fare qualcosa che ti faccia capire come non avrei mai potuto amare nessun'altra come ho amato te.

Con tutto il mio cuore,

Wilson

Sentendo il rumore dei passi, alzai lo sguardo. Jane era in cima alle scale, in controluce. Posò una mano sulla ringhiera e cominciò a scendere i gradini.

La luce delle candele la illuminò a stadi, dapprima le gambe, poi la vita e infine il volto. Si fermò a metà scala, incontrando i miei occhi, e anche da lontano mi accorsi che aveva pianto.

«Felice anniversario», dissi e la mia voce riecheggiò nella sala. Senza distogliere lo sguardo, lei scese il resto della scala. Mi venne incontro con un tenero sorriso e io compresi d'un tratto che cosa dovevo fare.

Spalancai le braccia e la strinsi a me. Il suo corpo era caldo e morbido, la sua guancia umida contro la mia. E mentre ci tenevamo così abbracciati, nella casa di Noah a due giorni dal nostro trentesimo anniversario di matrimonio, desiderai che il tempo si fermasse, ora e per sempre.

Rimanemmo a lungo l'uno nelle braccia dell'altra. Poi lei si staccò e, sempre cingendomi per la vita, alzò la testa per guardarmi.

«Grazie», mormorò.

Le diedi una stretta affettuosa. «Vieni. Andiamo di là.»

La condussi verso il retro della casa. Aprii la porta di servizio e uscimmo sul portico.

Nonostante la luna piena, si vedeva la Via Lattea brillare sopra di noi come una scia di diamanti. Venere era sorta a sud. La temperatura si era abbassata leggermente e, nella brezza, colsi una traccia del suo profumo.

«Pensavo di mangiare qui fuori. Così non rovineremo i tavoli apparecchiati in sala.»

Lei mi prese sottobraccio. «Ma è fantastico, Wilson.»

Mi allontanai controvoglia per accendere le candele e presi lo champagne.

«Ti va un bicchiere?»

Dapprincipio non ero sicuro che mi avesse sentito. Aveva lo sguardo rivolto verso il fiume mentre la brezza le agitava i lembi del vestito.

«Sì, volentieri.»

Tolsi la bottiglia dal secchiello e spinsi delicatamente il tappo, che si aprì con un piccolo scoppio.

Versai lo champagne nei bicchieri e aspettai che la schiuma si posasse per rimboccarli. Jane mi venne vicino.

«Da quanto tempo avevi progettato tutto?» chiese.

«Dall'anno scorso. Era il minimo che potessi fare, dopo essermi scordato dell'ultimo anniversario.»

Lei scosse il capo e mi obbligò a guardarla in faccia. «Non avrei potuto desiderare niente di più bello.» Esitò. «Cioè, quando ho visto l'album e la lettera, e tutte quelle annotazioni scritte da te... Sei stato meraviglioso.»

Io volevo protestare, ma lei mi interruppe.

«Dico sul serio», dichiarò a bassa voce. «Non so spiegarti quanto significhi per me.» Poi, ammiccando maliziosa, mi toccò il bavero della giacca. «Sei davvero uno schianto in smoking, straniero.»

Risi compiaciuto, e una parte della tensione si allentò. Le posai una mano sulla sua e la strinsi. «Mi rincresce davvero doverti lasciare proprio adesso, bimba...»

«Ma?»

«Mi reclamano i fornelli.»

Lei annuì, sensuale, bellissima. «Serve aiuto?»

«No, è tutto pronto.»

«Allora ti spiace se resto qui fuori? C'è una pace.»

«Niente affatto.»

Rientrato in cucina, riscaldai gli asparagi e mescolai la salsa olandese che si era rappresa. Poi aprii lo sportello del forno e controllai la cottura della sogliola. Mancava giusto qualche minuto.

Avevo sintonizzato la radio su una stazione che trasmetteva musica jazz, e stavo per spegnerla quando udii la voce di Jane alle mie spalle.

«Lasciala accesa», disse.

Mi girai. «Credevo volessi guardare le stelle.»

«Infatti, ma non è la stessa cosa senza di te.» Si appoggiò al bancone nella sua posa abituale. «Hai richiesto tu questa musica?» domandò divertita.

«Sono due ore che la trasmettono. Credo sia il tema della serata.»

«Quanti ricordi mi fa tornare in mente», disse. «A papà piaceva molto ascoltarla.» Si passò una mano lentamente tra i capelli, persa nei ricordi. «Lo sapevi che lui e la mamma a volte ballavano in cucina? Magari un attimo prima stavano lavando i piatti e subito dopo si prendevano per mano e cominciavano a muoversi a ritmo della musica. La prima volta che li vidi avrò avuto sei anni, e non ci trovai niente di strano. Ma quando eravamo un po' più grandi Kate e io ridacchiavamo alle loro spalle. I miei non si scomponevano e continuavano a ballare, come se fossero stati soli al mondo.»

«Non me lo hai mai raccontato.»

«E poi, una settimana prima che si trasferissero a Creekside, passai a trovarli e mentre parcheggiavo li scorsi attraverso la finestra della cucina e mi misi a piangere. Sapevo che era l'ultima volta che li vedevo ballare lì, e il cuore mi si spezzò in due.» Fece una pausa, assorta. Poi scrollò la testa. «Scusa, non volevo guastare l'atmosfera.»

«Non importa», risposi. «Allie e Noah fanno parte della nostra vita e sono vissuti qui. Sinceramente, sarei rimasto sorpreso se stasera non avessi pensato a loro. E poi, è un bel modo di ricordarli.»

Rimase in silenzio per un attimo, meditando sulle mie parole. Intanto tolsi il pesce dal forno e lo posai sui fornelli.

«Wilson?» mi chiese piano.

Mi voltai.

«Quando hai scritto che d'ora in poi cercherai di essere più romantico, dicevi sul serio?»

«Certo.»

«Significa che posso aspettarmi altre serate come questa?»

«Se è ciò che desideri.»

Lei si portò un dito al mento. «Sarà più difficile sorprendermi, però. Dovrai inventarti qualcosa di nuovo.»

«Non credo che sarà difficile come pensi.»

«Ah no?»

«Se fosse necessario, potrei escogitare qualcosa anche adesso.»

«Per esempio?»

La guardai negli occhi e mi dissi che non l'avrei delusa. Dopo un attimo di esitazione spensi il gas e misi da parte gli asparagi. Jane osservava i miei gesti con interesse. Mi sistemai la giacca, poi le andai di fronte e tesi la mano.

«Vuoi concedermi questo ballo?»

Arrossendo, Jane intrecciò le sue dita alle mie e mi

passò un braccio intorno alla vita. L'attirai deciso verso di me e sentii il suo corpo premere contro il mio. Cominciammo a volteggiare lentamente, mentre la musica riempiva la stanza intorno a noi. Avvertivo il profumo dei suoi capelli e sentivo le sue gambe sfiorare le mie.

«Sei bellissima», mormorai e lei mi rispose accarezzandomi il dorso della mano con il pollice.

Quando la canzone terminò, restammo abbracciati ad aspettare la successiva, ballando lentamente, inebriati da quel contatto ravvicinato. A un certo punto Jane si staccò da me e mi guardò con un sorriso tenero, poi mi accarezzò la guancia. Il tocco della sua mano era lieve e io, istintivamente, chinai il viso verso di lei.

Il suo bacio era quasi un sussurro e noi ci abbandonammo alle nostre sensazioni, alla volontà dei corpi. La strinsi tra le braccia e la baciai di nuovo, cosciente del nostro reciproco desiderio. Le feci scorrere le dita tra i capelli e la sentii gemere piano, un suono al tempo stesso familiare ed elettrizzante. Un miracolo dei sensi.

Senza dire una parola, mi allontanai da lei per guardarla, poi la condussi fuori dalla cucina. Sempre tenendoci per mano attraversammo la sala, e spegnemmo una candela dopo l'altra.

La guidai di sopra nell'avvolgente oscurità. La luce della luna entrava dalla finestra della sua camera da letto da ragazza e noi ci abbracciammo, inondati da quei raggi argentei. Le nostre bocche tornarono a incontrarsi e Jane mi accarezzò il torace mentre io cercavo la cerniera del suo vestito. Sospirò piano quando cominciai ad abbassarla.

Percorsi con le labbra la curva della sua guancia e del collo, poi scesi sulla spalla. Lei mi sfilò la giacca, che cadde sul pavimento assieme al suo vestito. La sua pelle scottava mentre ci lasciavamo cadere sul letto.

Ci amammo lentamente, con infinita tenerezza, e la passione reciproca fu una riscoperta inebriante, irresistibile nella sua novità. Avrei voluto che non finisse mai e continuai a baciarla, sussurrandole parole d'amore. Dopo, restammo lì abbracciati, esausti. Le accarezzai la pelle con la punta delle dita mentre si addormentava accanto a me, e cercai di imprimermi nella mente la perfezione di quel momento.

Lei si svegliò poco dopo mezzanotte e si accorse che la osservavo. Nell'oscurità, scorsi la sua espressione maliziosa, come se fosse nel contempo scandalizzata ed eccitata da quanto era accaduto.

«Jane?» le chiesi.

«Sì?»

«Vorrei chiederti una cosa.»

Mi sorrise, appagata.

Esitai, facendo un lungo respiro. «Se dovessi ricominciare daccapo, e stavolta sapendo come andrà tra di noi, mi sposeresti di nuovo?»

Lei rimase in silenzio a lungo, ponderando la domanda. Poi mi accarezzò il petto con aria languida.

«Sì», rispose soltanto. «Lo rifarei.»

Erano le parole che più anelavo sentire. La strinsi con impeto e le posai le labbra sui capelli, desiderando che quel momento durasse per sempre.

«Ti amo più di quanto tu possa immaginare», dissi.

Lei mi baciò il petto. «Lo so», rispose. «E ti amo anch'io.»

Diciassette

Quando i primi raggi di sole entrarono in camera da letto, ci svegliammo abbracciati e facemmo di nuovo l'amore.

Dopo colazione sistemammo la casa per l'evento dell'indomani: sostituimmo le candele, sparecchiammo il tavolo nel portico trasportandolo nel fienile e, con una punta di rammarico, gettammo via le prelibatezze che la sera prima avevo cucinato.

Poi rientrammo. Leslie sarebbe arrivata intorno alle quattro, mentre Joseph, che era riuscito a trovare posto sul volo prima, ci avrebbe raggiunto verso le cinque. Sulla segreteria c'era un messaggio di Anna, la quale ci informava che avrebbe seguito gli ultimi preparativi assieme a Keith, e che sarebbe passata lei a ritirare il vestito di Jane prima di venire a cena da noi.

In cucina, preparammo gli ingredienti per lo stufato di manzo che doveva cuocere a fuoco lento per ore e, mentre chiacchieravamo, il sorriso complice di

Jane mi faceva capire che stava pensando alla nottata appena trascorsa.

Poi, sapendo che il pomeriggio sarebbe stato frenetico, andammo in centro a comprare dei panini in una rosticceria e li mangiammo all'ombra delle magnolie che crescevano nel parco della chiesa episcopale.

Dopo pranzo raggiungemmo Union Point tenendoci per mano e lì ci fermammo ad ammirare il fiume Neuse. La corrente non era forte e l'acqua era solcata da imbarcazioni di ogni tipo, piene di bambini che si godevano gli ultimi giorni di vacanza estiva. Jane sembrava tranquilla e rilassata, e mentre le cingevo le spalle con il braccio ebbi la strana sensazione che fossimo una coppia novella. Era la giornata più perfetta che trascorrevamo insieme da anni e io mi gustai il momento fino al ritorno a casa, dove ci aspettava un altro messaggio sulla segreteria telefonica.

Era di Kate, e riguardava Noah.

«Forse è il caso che veniate qua», diceva. «Io non so più che cosa fare.»

Quando arrivammo a Creekside, Kate ci aspettava in corridoio.

«Non vuole parlarne», esordì, ansiosa. «Adesso sta guardando verso il laghetto. Mi ha persino risposto male, quando ho cercato di farlo ragionare. Ha detto che non potevo capirlo, dato che non gli credevo. Continuava a ripetere che voleva essere lasciato solo, e alla fine mi ha cacciato fuori.»

«Fisicamente sta bene?» chiese Jane.

«Credo di sì. Si è rifiutato di pranzare, ma per il resto mi sembra a posto. È molto turbato, però. Quando ho rinfilato la testa in camera per vedere come stava, mi ha urlato di andarmene.»

Guardai la porta chiusa. Da quando lo conoscevo non lo avevo mai sentito alzare la voce.

Kate tormentava con le dita la sua sciarpa di seta. «Non ha voluto parlare nemmeno con Jeff o con David... loro sono appena andati via. Credo se la siano presa per il modo in cui li ha trattati.»

«Pensi che non voglia ricevere neppure me?» chiese Jane.

«Temo di no», rispose Kate scoraggiata. «L'unico che può tentare forse sei tu», aggiunse rivolgendomi un'occhiata scettica.

Annuii. Avevo paura che mia moglie si contrariasse – com'era successo quando il padre aveva chiesto di me all'ospedale –, ma lei mi strinse la mano. «Vai», disse.

«Va bene.»

«Io resto qui fuori con Kate. Vedi se ti riesce di fargli mangiare qualcosa.»

«D'accordo.»

Bussai due volte alla porta della camera, poi la socchiusi.

«Noah? Sono io, Wilson. Posso entrare?»

Era seduto vicino alla finestra e non mi rispose.

Attesi un istante, poi mi feci avanti. Sul letto c'era il vassoio con il pranzo ancora intatto. Richiusi la porta e intrecciai le mani.

«Kate e Jane pensavano che magari ti andava di parlare con me.»

Vidi le sue spalle sollevarsi in un lungo respiro, e poi riabbassarsi. Lì sulla sedia a dondolo, con i capelli bianchi arruffati e il solito maglione, sembrava ancora più fragile.

«Sono lì fuori?»

Parlò con voce così bassa che stentai a udirlo.

«Sì.»

Noah non aggiunse altro. Nel silenzio, attraversai la stanza e andai a sedermi sul letto. Notai le profonde rughe di tensione che gli solcavano il viso, anche se si rifiutava di guardarmi.

«Vorrei sapere che cosa è successo», provai a dire.

Lui abbassò il mento sul petto, poi rialzò la testa e guardò fuori dalla finestra.

«Se n'è andata», disse. «Quando sono uscito stamattina, non c'era.»

Capii subito a che si riferiva.

«Magari era da un'altra parte del lago. Forse non si è accorta del tuo arrivo», suggerii.

«Se n'è andata», ripeté con voce neutra e spenta. «Me lo sentivo fin da quando mi sono svegliato. Non chiedermi come mai, ma lo avevo intuito, e quando mi sono avviato verso il laghetto la mia sensazione si è fatta sempre più forte. Non volevo crederci, però, e ho continuato a chiamarla per un'ora.

Ma non si è fatta vedere.» Con una smorfia, si raddrizzò a sedere senza distogliere lo sguardo dalla finestra. «Alla fine, ci ho rinunciato.»

Oltre i vetri, l'acqua del laghetto scintillava al sole. «Vuoi andare a vedere se è tornata?»

«Non c'è.»

«Come fai a saperlo?»

«È così e basta», mi rispose. «Lo sapevo già stamattina.»

Aprii la bocca per replicare, poi ci ripensai. Non aveva senso discutere, Noah ormai aveva deciso. E poi, per qualche motivo pensavo che avesse ragione

«Vedrai che tornerà», dissi cercando di assumere un tono convincente.

«Forse», replicò. «Oppure no. Non lo so.»

«Sentirà troppo la tua mancanza per stare lontana.»

«E allora perché se n'è andata, tanto per cominciare?» ribatté. «Non ha senso!»

Batté la mano buona sul bracciolo della sedia e scrollò la testa.

«Vorrei che capissero.»

«Chi?»

«I miei figli, le infermiere, persino il dottor Barnwell.»

«Ti riferisci al fatto che il cigno sia Allie?»

Per la prima volta si girò verso di me. «No, che io sia Noah. Che io sia lo stesso uomo di sempre.»

Non capivo bene, ma ritenni più saggio tacere in attesa di una spiegazione.

«Avresti dovuto vederli, oggi. Tutti quanti. Che male c'era se non volevo parlarne? Tanto nessuno mi crede, e non vale la pena di fare sforzi per convincerli che so quello che dico. E poi, che sarà mai se non ho fame? Ti giuro che ne hanno fatto un dramma esagerato. Sono sconvolto, ho tutto il diritto di esserlo. E in questi casi non mangio. Sono sempre stato così, ma adesso si comportano come se le mie facoltà mentali si fossero annebbiate. Kate ha tentato addirittura di imboccarmi, ti rendi conto? E poi si sono presentati Jeff e David, che hanno cercato di farmi credere che fosse andata via in cerca di cibo, senza tener conto del fatto che la nutro io, due volte al giorno. A nessuno di loro importa che possa esserle successo qualcosa!»

A quel punto mi resi conto che quell'improvvisa collera di Noah doveva avere altre motivazioni.

«Che cosa ti preoccupa veramente?» gli chiesi con dolcezza. «Che abbiano reagito come se si trattasse semplicemente di un cigno?» Feci una pausa. «Lo hanno sempre pensato, e lo sai. Prima d'ora non ti sei mai fatto turbare da questo.»

«A loro non importa niente.»

«Al contrario», ribattei, «direi che si preoccupano troppo.»

Lui si girò dall'altra parte, imbronciato.

«Non riesco a capire», disse infine. «Perché se n'è andata?»

Intuii d'un tratto che non ce l'aveva con i figli, e neppure stava semplicemente reagendo alla scomparsa del cigno. No, la sua crisi aveva radici più profonde: dipendeva da qualcosa che forse non voleva ammettere nemmeno con se stesso.

Invece di insistere, rimasi in silenzio, in attesa. Lo osservai rigirarsi le dita in grembo.

«Com'è andata con Jane ieri sera?» mi chiese poi di punto in bianco.

A quelle parole, mi affiorò alla mente l'immagine di lui che ballava con Allie in cucina.

«Meglio di quanto prevedessi», risposi.

«Le è piaciuto l'album?»

«Tantissimo.»

«Bene.» Per la prima volta quel giorno lo vidi sorridere, ma tornò subito serio.

«Jane vuole salutarti», dissi. «E c'è anche Kate con lei.»

«Lo so», rispose con aria rassegnata. «Falle entrare.»

«Sei sicuro?»

Fece segno di sì e io gli posai una mano sul ginocchio. «Stai bene?»

«Sì.»

«Vuoi che dica loro di non parlare del cigno?»

Rimase un attimo assorto, poi scrollò il capo. «Lascia stare.»

«Devo pregarti di non essere troppo severo con loro?»

Mi rivolse un'occhiata sofferta. «Non sono in vena di scherzare, ma ti prometto che non alzerò più la voce. E non farò niente che possa turbare Jane. Non voglio che stia in ansia per me quando deve pensare a domani.»

Mi alzai dal letto e gli diedi un colpetto sulla spalla prima di uscire.

Sapevo che Noah ce l'aveva con se stesso. Aveva trascorso gli ultimi quattro anni con la convinzione che il cigno fosse Allie – doveva credere che lei avesse trovato il modo di tornare per stargli vicino –, ma l'inspiegabile scomparsa dell'animale ora minava profondamente la sua fiducia.

Mentre uscivo mi sembrava quasi di udire la sua tacita domanda: *E se i miei figli avessero sempre avuto ragione?*

Una volta in corridoio, tenni per me questa riflessione. Tuttavia, suggerii a Kate e a Jane di lasciar parlare soprattutto il padre e di reagire nel modo più naturale possibile.

Loro annuirono, poi aprirono la porta. Noah ci guardò. Le sue figlie si fermarono sulla soglia, aspettando di essere invitate a entrare.

«Ciao, papà», disse Jane.

Lui si sforzò di sorridere. «Ciao, tesoro.»

«Stai bene?»

Guardò il vassoio con il cibo ormai freddo. «Ho un po' di appetito, ma per il resto sto bene. Kate, ti spiacerebbe?...»

«Ma certo, papà», rispose lei avanzando. «Vado a prenderti qualcosa. Vuoi una minestra? Oppure un panino al prosciutto?»

«Preferirei un panino, e magari un bicchiere di tè.»

«Scendo subito», disse Kate. «Non ti andrebbe anche una fetta di torta al cioccolato? Ho sentito che l'hanno preparata proprio oggi.»

«Sicuro», rispose Noah. «Grazie. E... senti, scusami per come mi sono comportato prima. Ero sconvolto, ma non avevo motivo di prendermela con te.»

Kate sorrise brevemente. «Non importa, papà.»

Mi lanciò un'occhiata di sollievo, sebbene la sua ansia fosse ancora evidente. E non appena fu uscita, Noah ci indicò il letto.

«Venite», disse a bassa voce. «Accomodatevi.»

Mentre entravo in camera mi chiesi che cosa avesse in mente. Sospettavo che avesse mandato via Kate per poter parlare da solo con me e Jane.

Quando ci sedemmo vicini sul letto, lei mi prese la mano. «Mi spiace per il cigno, papà», disse.

«Grazie», rispose lui. Dalla sua espressione, compresi che non avrebbe detto altro al riguardo. «Wilson mi stava raccontando della casa», proseguì infatti. «E ho sentito che avete sistemato tutto.»

L'espressione di Jane si addolcì. «Oh, sembra di essere in una favola. È ancora più bella che per il matrimonio di Kate.» Fece una pausa. «Senti, pensavamo che Wilson potrebbe venire qui a prenderti verso le cinque e mezzo, oggi pomeriggio. So che è presto per la cena, ma così potrai passare un po' di tempo da noi. È da molto che non vieni.»

«D'accordo», rispose Noah. «Sarà bello rivedere il vostro nido.» Ci guardò, si accorse che ci tenevamo per mano e sorrise.

«Ho qualcosa per voi due», annunciò. «E se non vi spiace, vorrei darvelo prima che torni Kate. Lei magari non capirebbe.»

«Che cos'è?» chiese Jane.

«Aiutatemi ad alzarmi. È nello scrittoio, e faccio fatica a rimettermi in piedi dopo che sono rimasto a lungo seduto.»

Mi avvicinai, prendendolo per un braccio. Lui si sollevò e mosse qualche passo incerto. Raggiunse lo scrittoio, aprì il cassetto ed estrasse un pacchetto, quindi tornò a sedersi. Sembrava esausto per lo sforzo compiuto.

«L'ho fatto incartare ieri da un'infermiera», disse porgendocelo.

Era un pacchetto rettangolare, rivestito di carta rossa, e mi bastò un'occhiata per capire che cosa conteneva. Anche Jane parve indovinarlo, perché rimase immobile.

«Vi prego», disse Noah.

Lei esitò ancora un istante, poi lo prese.

«Ma... papà...» disse.

«Aprilo», insistette lui.

Jane sciolse il nastro e svolse lentamente la carta da regalo. Il vecchio volume era immediatamente riconoscibile, con un foro nell'angolo superiore de-

273

stro causato da una pallottola durante la seconda guerra mondiale. Si trattava di *Foglie d'erba* di Walt Whitman, il libro di poesie da cui Noah non si separava mai.

«Buon anniversario», ci disse lui.

Jane teneva in mano il libro con cautela, come se avesse paura di romperlo. Guardò prima me, poi il padre. «Non possiamo accettarlo», disse con un filo di voce, stupita quanto me.

«Sì, che potete.»

«Ma... perché?»

Noah la guardò. «Ti ho già detto che quell'estate, da ragazzo, lo leggevo tutti i giorni mentre aspettavo che tua madre tornasse da me? In un certo senso, era come se le recitassi quelle poesie. E poi, dopo che ci siamo sposati, le leggevamo insieme seduti nel portico, proprio come mi ero immaginato. Alla fine anche Allie le sapeva a memoria.»

Guardò fuori dalla finestra e capii che stava pensando di nuovo al cigno.

«Ora non riesco più a leggere», proseguì Noah. «E non voglio che questo libro diventi una reliquia, da conservare su uno scaffale a eterna memoria mia e di Allie. So che non nutrite il mio stesso amore per Whitman, ma almeno voi conoscete le sue poesie. E chissà, magari potreste rileggerle insieme qualche volta.»

Jane sorrise. «Lo farò», promise.

«Anch'io», aggiunsi.

«Lo so», disse lui guardandoci a turno. «È per questo che ho voluto darlo proprio a voi.»

Dopo aver mangiato Noah aveva l'aria stanca, così noi lo lasciammo riposare e tornammo a casa.

Anna e Keith arrivarono a metà pomeriggio, poco prima di Leslie, e ci ritrovammo tutti in cucina a chiacchierare e scherzare, come ai vecchi tempi. Poi prendemmo le macchine e ci dirigemmo nella proprietà di Noah. I tre ragazzi rimasero a bocca aperta, proprio come Jane il giorno prima. Passarono un'ora a girare per il giardino e per le stanze della casa, pieni di meraviglia. Io rimasi ai piedi delle scale e Jane mi venne vicino, raggiante. Mi guardò negli occhi e ammiccò indicando verso il piano superiore. Scoppiai a ridere, e quando Leslie chiese che cosa ci fosse di tanto divertente lei rispose con aria innocente: «Niente, è solo uno scherzo tra me e tuo padre».

Sulla via del ritorno andai all'aeroporto a prendere Joseph, che mi salutò con il suo solito «Ciao, pop» e poi, nonostante tutte le novità in ballo, aggiunse: «Sei dimagrito». Dopo aver recuperato il bagaglio passammo da Creekside. Come al solito con me Joseph si mostrò taciturno, ma alla vista del nonno si animò. Anche Noah era felice di rivedere il nipote e si sedettero entrambi sul sedile posteriore mettendosi a parlare vivacemente. A casa, furono accolti dagli abbracci calorosi degli altri famigliari. Noah si accomodò sul divano, con Leslie da una parte e Joseph dall'altra, mentre Anna e Jane parlavano tra loro in cucina. D'un tratto nella nostra casa erano tornati i suoni di un tempo e io pensai che le cose avrebbero dovuto essere sempre così.

Durante la cena le donne raccontarono i buffi avvenimenti di quella loro movimentata settimana e alla fine Anna si alzò, battendo sul bicchiere con la forchetta.

«Voglio fare un brindisi in onore della mamma e del papà», annunciò sollevando il bicchiere. «Senza di loro non so come me la sarei cavata. Sarà un meraviglioso matrimonio.»

Quando Noah fu stanco, lo riaccompagnai a Creekside. I corridoi erano vuoti mentre lo scortavo in camera sua.

«Grazie ancora per il libro», dissi fermandomi sulla porta della camera. «È il regalo più speciale che avresti potuto farci.»

I suoi occhi, seppur annebbiati dalla cataratta, sembravano leggermi dentro. «È stato un piacere.»

Mi schiarii la gola. «Può darsi che domattina sia tornata.»

Lui annuì, capendo le mie buone intenzioni. «Può darsi», rispose.

Quando rincasai trovai i miei figli ancora seduti a tavola. Keith se n'era andato da poco e Jane era uscita in terrazza. Aprendo la porta scorrevole la vidi appoggiata alla ringhiera e mi avvicinai. Restammo per un po' in silenzio a goderci la fresca brezza estiva.

«Stava bene quando lo hai lasciato?» mi chiese infine lei.

«Direi di sì. Era solo un po' stanco.»

«Gli sarà piaciuto cenare qui stasera?»

«Senza dubbio», risposi. «Adora la compagnia dei nipoti.»

Jane si voltò a guardare la scenetta famigliare in salotto: Leslie gesticolava, chiaramente intenta a narrare un aneddoto divertente, e Anna e Joseph erano piegati in due dalle risate che arrivavano fino a noi oltre i vetri.

«Vederli così mi fa tornare in mente tanti ricordi», disse. «Vorrei che Joseph non vivesse tanto lontano. Sono sicura che le ragazze sentono la sua mancanza, ormai è quasi un'ora che ridono insieme così.»

«Perché non sei rimasta con loro?»

«Ero lì fino a pochi minuti fa. Ma quando ho visto i fari della tua macchina sono uscita.»

«Perché?»

«Volevo restare da sola con te», rispose rifilandomi un pizzicotto scherzoso, «per darti il mio regalo di anniversario. Come hai detto tu, domani potrebbe non essercene il tempo.» Mi porse una busta. «So che la confezione non è granché, ma guarda dentro e capirai.»

Incuriosito, aprii la busta e vidi un dépliant.

«Lezioni di cucina?» lessi divertito.

«A Charleston», rispose lei, appoggiandosi contro di me. Poi proseguì indicando il foglietto: «Dovrebbe essere un corso di alto livello. Un fine settimana al *Mondori Inn* con il loro chef, che pare essere uno dei migliori del paese. So che te la cavi benissimo anche da solo, ma ho pensato che avresti potuto trovare divertente cimentarti con qualcosa di nuovo. Dovrebbero insegnarti a usare uno scavino, a capire quando l'olio in padella ha raggiunto la temperatura giusta, e persino a guarnire i piatti di portata. Conosci Helen, vero? Quella del coro? Mi ha detto che è stato davvero molto interessante.»

«E quando sarebbe?»

«I corsi si svolgono in settembre e ottobre, il primo e il terzo fine settimana del mese, così puoi decidere tu quando partecipare, in base ai tuoi impegni di lavoro. Basterà fare una telefonata per prenotare.»

Rimasi a guardare il dépliant, chiedendomi come sarebbero state quelle lezioni. Preoccupata dal mio silenzio, Jane disse incerta: «Se non ti piace, posso cambiare regalo».

«No, è perfetto», la tranquillizzai. Poi, accigliandomi, aggiunsi: «C'è soltanto una cosa, però».

«Sì?»

La presi tra le braccia. «Mi divertirei molto di più se partecipassimo entrambi. Approfittiamo del seminario per trascorrere insieme un romantico fine settimana. In autunno Charleston è bellissima, e ce la godremo.»

«Dici sul serio?» mi chiese.

La strinsi a me. «Certo. Mi mancheresti troppo, altrimenti.»

«La lontananza fortifica l'amore», mi stuzzicò lei.

«Non lo ritengo possibile», obiettai, diventando serio. «Non hai idea di quanto ti ami.»

«Invece sì, che ce l'ho.»

Con la coda dell'occhio vidi i ragazzi che ci guardavano mentre mi chinavo a baciarla. Le labbra di Jane indugiarono contro le mie. In passato quella situazione mi avrebbe messo in imbarazzo, ma adesso non me ne importava niente.

Diciotto

Il sabato mattina ero meno nervoso di quanto pensassi.

Anna si presentò dopo che eravamo già tutti svegli e ci sorprese con la sua disinvoltura, facendo colazione con noi. Poi uscimmo insieme in terrazza, dove il tempo parve trascorrere al rallentatore. Forse stavamo preparandoci alla frenesia che avrebbe animato quel pomeriggio e la serata.

Più di una volta sorpresi i miei figli a guardare Jane e me, quasi allibiti dal nostro affiatamento. Leslie pareva quasi commossa, come un genitore orgoglioso, mentre l'espressione di Joseph era più difficile da decifrare. Non capivo se fosse felice per noi o se cercasse di decidere quanto sarebbe durata questa nuova fase.

Forse, però, le loro reazioni erano del tutto naturali, mi dissi. A differenza che con Anna, non ci eravamo visti molto ultimamente e senza dubbio entrambi ricordavano il nostro atteggiamento reciproco l'ultima volta che erano venuti a trovarci. In effetti, quando Joseph era tornato a casa per Natale mia moglie e io non ci eravamo quasi rivolti la parola. E poi ero certo che ricordasse ancora bene la visita di sua madre a New York l'anno prima.

Mi chiedevo se Jane avesse notato l'aria perplessa con cui i ragazzi ci fissavano. Comunque, lei non ci badava, tutta presa com'era a raccontare loro i preparativi che erano stati fatti per il matrimonio, senza riuscire a nascondere la soddisfazione. Leslie la sommergeva di domande e andava in estasi a ogni rivelazione romantica; Joseph, invece, si limitava ad ascoltare in silenzio. Quanto ad Anna, interveniva solo di tanto in tanto, in genere per rispondere a qualche domanda diretta. Era seduta sul divano accanto a me, e quando Jane si alzò per andare a riempire la caffettiera si girò a guardarla, poi mi prese la mano e, chinandosi verso il mio orecchio, mormorò: «Non vedo l'ora che arrivi stasera».

Le donne della famiglia avevano appuntamento dal parrucchiere per l'una e uscirono di casa chiacchierando tra loro come scolarette. Per quanto mi riguardava, avevo ricevuto le telefonate di John Peterson e di Henry MacDonald, che mi chiedevano se potevamo incontrarci a casa di Noah. Il primo voleva verificare l'accordatura del pianoforte, mentre l'altro intendeva dare un'occhiata alla cucina per assicurarsi che tutto fosse a posto. Entrambi mi avevano promesso di trattenersi per poco, ma io sarei dovuto comunque passare di lì a portare una cosa che Leslie aveva lasciato nella mia macchina.

Mentre mi accingevo a uscire sentii Joseph entrare in salotto dietro di me.

«Ehi, pop, ti spiace se vengo anch'io?»

«Niente affatto», risposi.

Durante il tragitto, lui guardò fuori dal finestrino senza parlare molto. Erano anni che non veniva più da quelli parti e sembrava voler assorbire con gli occhi il panorama che ci sfilava accanto lungo le strade alberate. Senza dubbio New York era una città unica – e ormai Joseph la considerava casa sua – ma intuivo che si era dimenticato di quanto potesse essere incantevole la campagna.

Rallentai, imboccai il viale d'accesso e parcheggiai al solito posto. Quando scendemmo dall'auto mio figlio rimase qualche istante immobile a osservare la vecchia dimora, che risaltava candida alla luce accecante del sole estivo. Entro poche ore, mi dissi, Anna, Leslie e Jane sarebbero state di sopra a vestirsi per la cerimonia. Avevamo deciso di far partire il corteo nuziale dalla casa, e guardando le finestre del primo piano cercai invano di immaginarmi il momento appena precedente l'inizio della cerimonia, quando tutti gli invitati sarebbero stati seduti in attesa.

Riscuotendomi dalle mie fantasticherie mi accorsi che Joseph si stava allontanando. Camminava con le mani in tasca, facendo vagare lo sguardo per la proprietà. Giunto davanti al tendone, si fermò e si voltò per indicarmi di raggiungerlo.

Camminammo in silenzio sotto la tenda, poi nel roseto e infine entrammo in casa. Sebbene non lo desse a vedere, sentivo che era impressionato almeno quanto Leslie e Anna. Una volta concluso il giro, mi fece qualche domanda precisa sugli interventi realizzati – chi, cosa e come –, ma all'arrivo del ristoratore era tornato di nuovo silenzioso.

«Allora, che ne pensi?» gli domandai dopo un po'.

Non mi rispose subito, ma diede un'occhiata in giro con un mezzo sorriso sulle labbra. «Sinceramente», riconobbe infine, «non riesco a credere che tu ce l'abbia fatta.»

Seguendo il suo sguardo, ripensai all'aspetto della proprietà fino a qualche giorno prima. «Sembra davvero incredibile, eh?» dissi distrattamente.

Joseph scosse la testa. «Non mi riferivo soltanto a questo», replicò accennando con il braccio al giardino. «Parlo della mamma.» Fece una pausa per assicurarsi la mia attenzione. «L'anno scorso, quando è venuta a trovarmi, era davvero sconvolta. Lo sapevi che piangeva mentre scendeva dall'aereo?»

La mia espressione rispose per me.

Joseph si infilò le mani in tasca e chinò lo sguardo a terra. «Non voleva farsi vedere in quello stato da te, e per questo aveva cercato di trattenersi. Ma una volta sull'aereo... aveva ceduto.» Esitò. «Cioè, capisci, sono lì all'aeroporto in attesa della mamma e me la vedo arrivare con l'aria di chi è appena tornato da un funerale. Nel mio lavoro sono abituato ad affrontare il dolore tutti giorni, ma quando si tratta della propria madre...»

Lasciò la frase a metà e io evitai di fare commenti

«La prima sera mi tenne sveglio fino a mezzanotte. Parlava e piangeva per quello che stava succedendo tra di voi. Ammetto che in quel momento provai molta rabbia nei tuoi confronti. E non solo perché ti eri dimenticato dell'anniversario: era come se la tua famiglia fosse sempre stata un bene che spettava a te mantenere, ma verso cui non sentivi di nutrire altri obblighi. Alla fine le dissi che, se era ancora scontenta dopo tutti quegli anni, avrebbe fatto meglio a starsene da sola.»

Non sapevo che cosa rispondere.

«È una donna fantastica, papà», proseguì, «ed ero stanco di vederla soffrire. Nei giorni successivi si riprese, almeno in parte. Ma si rattristava ancora all'idea di tornare a casa. Tutte le volte che affrontavamo l'argomento assumeva un'aria affranta, al punto che le proposi di restare a New York con me. Per un po' pensai che volesse accettare il mio invito, ma alla fine mi disse che non poteva farlo. Dato che tu avevi bisogno di lei.»

Avevo un nodo in gola.

«Quando mi spiegasti che cosa intendevi fare per il vostro anniversario, in principio non volevo saperne niente. Non avevo nemmeno voglia di venire qui per il matrimonio. Ma ieri sera...» Scosse la testa incredulo. «Avresti dovuto sentirla quando sei uscito per riaccompagnare Noah. Non la smetteva più di parlare di te. Continuava a ripetere che eri stato fantastico e quanto eravate affiatati negli ultimi tempi. E poi, vi ho visto baciarvi in terrazza...»

Rialzò la testa e mi guardò intensamente, quasi mi vedesse per la prima volta. «Ce l'hai fatta, papà. Non so come, ma ci sei riuscito. Non credo di averla mai vista più felice di così.»

Peterson e MacDonald non si trattennero a lungo. Riposi di sopra l'oggetto che mi aveva dato Leslie e, sulla via di casa, Joseph e io ci fermammo al negozio di abiti a noleggio per prendere due smoking: uno per lui e l'altro per Noah. Poi lasciai mio figlio a casa e proseguii verso Creekside.

Il sole del tardo pomeriggio inondava di luce la camera. Mio suocero era seduto davanti alla finestra, e quando si voltò per salutarmi compresi all'istante che il cigno non era tornato. Mi fermai sulla soglia.

«Ciao, Noah», dissi.

«Ciao, Wilson», mormorò. Aveva l'aria tirata e le rughe sul suo viso sembravano diventate più profonde durante la notte.

«Come va?»

«Potrebbe andare meglio», rispose, «ma anche peggio.»

Si sforzò di sorridere per tranquillizzarmi.

«Sei pronto?»

«Sì.»

Durante il tragitto in macchina non accennò al cigno, ma rimase a guardare fuori dal finestrino in silenzio, come aveva fatto Joseph. Lo lasciai solo con i suoi pensieri, anche se dentro di me sentivo crescere l'eccitazione a mano a mano che ci avvicinavamo alla proprietà. Non vedevo l'ora di mostrargli quello che avevo fatto e in fondo mi aspettavo che restasse abbagliato come tutti gli altri.

Stranamente, invece, scendendo dall'auto non manifestò alcuna reazione. Si guardò intorno e poi fece una lieve alzata di spalle. «Mi pareva che avessi detto di aver dato una sistemata alla casa.»

Sbattei gli occhi, pensando di non aver capito bene.

«Infatti.»

«Dove?»

«Dappertutto», risposi. «Vieni, ti mostro il giardino.»

Scosse la testa. «Lo vedo bene anche da qui. Mi pare uguale a sempre.»

«Adesso forse sì, ma avresti dovuto vederlo una settimana fa», ribattei sulla difensiva. «Era pieno di erbacce. E la casa...»

Lui m'interruppe con un sorriso divertito.

«Ci sei cascato», disse ammiccando. «E adesso mostrami che cosa hai combinato.»

Facemmo il giro del giardino e della casa, infine ci accomodammo sul dondolo nel portico. Avevamo ancora un'ora prima di cambiarci. Nel frattempo Joseph aveva già indossato lo smoking e poco dopo ci raggiunsero anche Anna, Leslie e Jane, arrivate direttamente dal parrucchiere. Le ragazze scesero dalla macchina chiacchierando animatamente e scomparvero subito su per le scale, con i loro vestiti sottobraccio.

Jane, che le seguiva, si fermò davanti a me con gli occhi scintillanti di emozione mentre osservava le figlie.

«Mi raccomando», disse, «Keith non deve assolutamente vedere Anna prima della cerimonia, perciò non farlo salire.»

«D'accordo», promisi.

«Anzi, non far salire nessuno. Dev'essere una sorpresa.»

Mi portai una mano sul cuore. «Proteggerò la scala a costo della vita», dichiarai.

«Vale anche per te, papà.»

«Me lo immaginavo.»

Guardò di nuovo verso le scale. «Sei nervoso?» mi chiese.

«Un pochino.»

«Anch'io. È difficile pensare che la nostra bambina sia diventata grande e che stia per sposarsi.»

Nonostante l'entusiasmo, la sua voce tradiva una nota malinconica e io mi sporsi verso di lei per darle un bacio sulla guancia.

Sorrise. «Ascolta, adesso devo andare ad aiutare

Anna a infilarsi il vestito. Il suo abito è molto aderente. E devo anche finire di prepararmi.»

«Lo so», dissi. «Ci vediamo più tardi.»

Nell'ora successiva arrivarono il fotografo, John Peterson e gli addetti al catering, e si misero tutti al lavoro. Fu poi la volta della torta, che venne sistemata sul suo piedistallo, e del fiorista, che consegnò il bouquet e i fiori di guarnizione per gli invitati. Poco prima dell'arrivo degli invitati il reverendo mi prese sottobraccio e mi illustrò le fasi della cerimonia.

Ben presto il giardino cominciò a riempirsi di automobili. Noah e io salutavamo tutti nel portico e poi li indirizzavamo verso la tenda, dove li aspettavano Joseph e Keith per guidarli ai loro posti. Peterson era già al pianoforte e l'aria tiepida della sera vibrava delle solenni note di Bach. In breve tutti furono seduti e anche il reverendo era pronto.

Illuminata dal sole al tramonto, la tenda aveva acquistato una luce quasi mistica. Sui tavoli della sala ardevano le candele, mentre i camerieri si erano ritirati in disparte.

L'evento preparato con tanta cura stava cominciando a diventare reale. Sforzandomi di restare calmo, mi misi a camminare su e giù. La cerimonia stava per iniziare, e cercai di convincermi che mia moglie e le mie figlie sapevano quello che facevano. Mi dissi che stavano semplicemente aspettando l'ultimo momento per presentarsi, ma non potevo fare a meno di sbirciare ogni poco verso le scale. Noah, sul dondolo, mi guardava divertito.

«Sembri uno di quei bersagli nelle bancarelle di tiro a segno delle fiere», mi disse. «Tipo l'orso che va avanti e indietro.»

Corrugai la fronte. «Sono messo così male?»

«A forza di camminare, devi aver scavato una trincea.»

Decisi che forse era meglio sedersi, e stavo per raggiungerlo quando udii dei passi sulle scale.

Noah alzò le mani per indicare che sarebbe rimasto seduto, e così feci un profondo respiro ed entrai in casa. Jane stava scendendo lentamente con una mano posata sulla ringhiera e stetti a guardarla in silenzio.

Con i capelli raccolti aveva un'aria affascinante. L'abito di satin color pesca le aderiva al corpo in maniera molto seducente e un velo di rossetto in tinta le faceva risaltare le labbra. Si era truccata quel tanto che bastava a sottolineare il taglio dei suoi occhi scuri, e quando vide la mia espressione rapita si fermò per lasciarsi ammirare.

«Sei... incredibile», riuscii infine a dire.

«Grazie», rispose dolcemente.

Un attimo dopo mi veniva incontro nell'ingresso. Colsi l'aroma del suo profumo, ma quando mi chinai per baciarla mi bloccò.

«Non puoi», disse ridendo. «Mi sbaveresti il rossetto.»

«Davvero?»

«Sì. Potrai baciarmi dopo, te lo prometto. Quando comincerò a piangere e il trucco si scioglierà comunque.»

«Dov'è Anna?»

Indicò verso la scala. «È già vestita, ma voleva parlare con Leslie da sola prima di scendere. Una sorta di patto dell'ultimo minuto, credo.» Sorrise sognante. «Non crederai ai tuoi occhi: non ho mai visto una sposa più bella. Siamo pronti?»

«John aspetta solo di ricevere un segno per intonare la marcia nuziale.»

Jane annuì, nervosa. «Dov'è papà?»

«Al suo posto», risposi. «Non preoccuparti, andrà tutto alla perfezione. Ora non ci resta che aspettare.»

Lei annuì di nuovo. «Che ore sono?»

Guardai l'orologio. «Le otto», risposi e proprio mentre Jane stava per chiedermi se dovesse salire ad avvisare le ragazze, sentimmo aprirsi la porta della stanza e alzammo insieme lo sguardo.

Leslie fu la prima a uscire. Come Jane, era un vero incanto. La sua pelle aveva la luminosità della giovinezza e scese le scale trattenendo a stento l'entusiasmo. Anche lei indossava un abito color pesca, ma a differenza di quello della madre, il suo lasciava scoperte le braccia tornite. «Sta arrivando», annunciò ansimando.

Joseph entrò silenziosamente alle nostre spalle e si mise di fianco alla sorella. Jane mi prese la mano, che tremava. Era infine giunto il momento tanto sospirato, mi dissi. Quando la porta si riaprì il viso di mia moglie si illuminò di un sorriso infantile.

«Eccola», bisbigliò.

Era vero, Anna stava per arrivare, ma anche allora i miei pensieri erano rivolti esclusivamente a Jane. Sentendola di fianco a me, compresi che non l'avevo mai amata tanto.

All'apparizione della figlia, sgranò gli occhi. Per un attimo parve come paralizzata. Anna stava scendendo di corsa le scale, come aveva fatto sua sorella Leslie, e teneva un braccio dietro la schiena.

Non indossava l'abito che lei le aveva visto indosso pochi istanti prima, ma quello che avevo portato lì io quella mattina. Lo avevo appeso a una gruccia in un armadio vuoto, ed era identico al vestito di Leslie.

Prima che Jane ritrovasse la forza di parlare, Anna le si avvicinò, mostrandole l'oggetto che aveva tenuto nascosto fino a quel momento.

«Credo che questo dovresti metterlo tu», disse soltanto.

Alla vista del velo nuziale che la figlia le porgeva, Jane sbatté gli occhi, incredula. «Che significa?» esclamò. «Perché ti sei tolta l'abito da sposa?»

«Perché non sarò io a sposarmi», rispose Anna con un placido sorriso. «Almeno non ora.»

«Ma che cosa dici? Certo che ti sposerai...»

Anna scosse il capo. «Non è mai stato il mio matrimonio questo, mamma. È sempre stato il tuo.» Fece una pausa. «Perché credi ti abbia lasciato scegliere tutto?»

Jane era disorientata. Guardò perplessa le facce

sorridenti dei tre figli, poi si girò verso di me in cerca di una risposta.

Allora le presi le mani e me le portai alle labbra. Un anno di pianificazione, un anno di segreti era giunto al suo naturale compimento. Le baciai dolcemente la punta delle dita, e la guardai negli occhi.

«Hai detto che mi avresti sposato di nuovo, ricordi?»

Per un attimo mi parve di essere da solo con lei nel salone. Ripensai a tutti gli accordi presi di nascosto nei mesi precedenti: le ferie al momento giusto, il fotografo e il ristorante che «casualmente» avevano ricevuto una disdetta proprio per quel giorno, tutti gli invitati pronti a partecipare, squadre di operai che erano stati in grado di «liberarsi» per poter sistemare la casa nel giro di un paio di giorni.

Impiegò qualche istante, ma alla fine Jane cominciò a capire e sul suo viso comparve un'espressione incerta. E quando colse fino in fondo il senso di ciò che stava accadendo – il vero significato di quella cerimonia – mi fissò incredula e allibita.

«Il mio matrimonio?» La sua voce era appena un sussurro.

Annuii. «Il matrimonio che avrei dovuto offrirti tanto tempo fa.»

Jane avrebbe voluto ricevere spiegazioni immediatamente, ma io mi limitai a prendere il velo che Anna reggeva in mano.

«Ti racconterò tutto durante il ricevimento», le promisi, posandole in testa il delicato tulle. «Gli invitati sono già seduti. Joseph e io siamo attesi, perciò ora devo andare. E mi raccomando, non dimenticarti il bouquet.»

Mi guardò con occhi imploranti. «Ma... senti...»

«Non posso restare, davvero», dissi dolcemente. «Non dovrei vederti prima della cerimonia, sai?» Le sorrisi. «Ma ci rincontreremo tra poco.»

Mentre avanzavo verso il pergolato assieme a Joseph sentivo gli sguardi degli invitati su di me. Un attimo dopo ci fermammo accanto ad Harvey Wellington, il ministro a cui avevo chiesto di officiare la cerimonia.

«Gli anelli ce li hai, vero?» dissi a mio figlio.

Joseph si toccò il taschino della giacca. «Certo, pop. Sono andato a ritirarli stamattina, come mi avevi chiesto.»

Il sole stava tramontando oltre le cime degli alberi e il cielo andava tingendosi di grigio Gettai un'occhiata agli invitati lì riuniti e venni invaso da un'improvvisa ondata di gratitudine. Nelle prime file erano seduti Kate, David e Jeff con i consorti, subito dietro c'erano Keith e i nostri amici di sempre. Ero in debito con tutti. Alcuni avevano spedito le foto per l'album, altri mi avevano aiutato a trovare le persone giuste per realizzare il mio progetto. Ma la mia riconoscenza verso di loro era ben più grande. In un'epoca in cui sembrava diventato impossibile mantenere un segreto, nessuno aveva fiatato e inoltre si erano impegnati con entusiasmo per celebrare quel momento speciale della nostra vita.

Avrei voluto ringraziare prima di tutto Anna. Non avrei potuto fare niente senza la sua attiva partecipazione, e non doveva essere stato facile per lei. Aveva dovuto calibrare ogni sua parola, tenendo Jane sulle spine. Era stato difficile anche per Keith, e mi sorpresi a pensare che un giorno sarebbe diventato un ottimo genero. Quando lui e Anna avrebbero deciso di sposarsi, avrei fatto in modo che mia figlia avesse esattamente il matrimonio che desiderava, quale che fosse.

Anche Leslie mi aveva dato un grande aiuto. Era stata lei a convincere Jane a fermarsi a Greensboro, e a comperare il vestito per Anna. Ma soprattutto, data la sua passione per i film d'amore, era a lei che avevo chiesto ispirazione per organizzare il matrimonio. Inoltre era stata sua l'idea di chiamare sia Harvey Wellington sia John Peterson.

E poi, ovviamente, c'era Joseph. Si era mostrato il meno entusiasta dei miei figli quando gli avevo prospettato la mia idea, ma lo prevedevo. Quello che non mi aspettavo era di sentire la sua mano sulla mia spalla mentre eravamo in piedi sotto il pergolato, in attesa dell'arrivo di Jane.

«Ehi, pop», bisbigliò.

«Sì?»

Mi sorrise. «Volevo solo dirti che sono onorato di farti da testimone.»

A queste parole, mi sentii stringere la gola e riuscii soltanto a dire: «Grazie».

La cerimonia si svolse proprio come avevo sperato. Non dimenticherò mai il brusio eccitato degli invitati alla comparsa delle mie figlie, né il tremito delle mie mani quando sentii le prime note della marcia nuziale, o l'aria raggiante di Jane mentre si avvicinava lentamente verso di me.

Con il velo sul capo, sembrava proprio una giovane sposa. Stringeva tra le mani un bouquet di tulipani e roselline e incedeva a passo leggero. Al suo fianco, Noah sorrideva soddisfatto, in tutto e per tutto il padre orgoglioso.

Si fermarono davanti a noi, e lui le sollevò il velo dal viso, la baciò sulle guance e le mormorò una frase all'orecchio, per poi andare a sedersi in prima fila, accanto alla figlia Kate. Alle loro spalle c'era già qualche donna tra gli invitati che si asciugava gli occhi con il fazzoletto.

Harvey cominciò la celebrazione con una preghiera di ringraziamento. Poi ci chiese di voltarci l'uno verso l'altra e parlò di amore e di rinnovamento e dell'impegno che ciò comportava. Per tutta la cerimonia Jane mi tenne per mano, senza mai distogliere lo sguardo dal mio.

Quando giunse il momento, chiesi a Joseph di passarmi gli anelli. Per mia moglie avevo comperato una fede di brillanti, per me una d'oro simile a quella che avevo sempre portato, e che ora brillava come la promessa di un futuro più radioso.

Rinnovammo il giuramento che ci eravamo scambiati tanti anni prima e ci infilammo gli anelli a vicenda. Quando fu il momento di baciare la sposa lo feci tra esclamazioni di giubilo, fischi, applausi e un'esplosione di flash.

Il ricevimento durò fino a mezzanotte. La cena fu magnifica e John Peterson al piano era in ottima forma. I nostri figli a turno fecero dei brindisi e ringraziai tutti coloro che mi avevano aiutato. Jane non riusciva più a smettere di sorridere.

Terminata la cena, spostammo qualche tavolo e ballammo per ore. A un certo punto, fermandosi a riprendere fiato, lei mi pose la stessa domanda che mi aveva perseguitato durante l'ultima settimana.

«E se qualcuno si fosse lasciato sfuggire il segreto?»

«Non è successo», risposi.

«Ma se fosse accaduto?»

«Non so. Speravo che avresti pensato di aver capito male. O che non avresti creduto che potessi essere tanto pazzo da fare una cosa del genere.»

«Hai riposto una grande fiducia in un sacco di persone.»

«Lo so», dissi. «E sono contento di non essere stato deluso.»

«Anch'io. Questa è la serata più bella della mia vita.» Lasciò vagare lo sguardo per il salone. «Grazie, Wilson. Per ogni singolo istante.»

Intorno a mezzanotte gli invitati cominciarono ad andare via. Tutti mi salutarono con una stretta di mano e abbracciarono Jane. Quando Peterson chiuse il pianoforte, lei lo ringraziò riconoscente e lui, impulsivamente, la baciò sulla guancia. «Non mi sarei perso quest'occasione per niente al mondo», disse.

Harvey Wellington e la moglie furono tra gli ultimi ad andarsene e noi li accompagnammo fuori sul portico. Quando Jane lo ringraziò per aver celebrato il rito, il reverendo scosse il capo. «Niente ringraziamenti. Partecipare per me è stata una gioia. È questa la vera essenza del matrimonio.»

Jane sorrise. «Vi telefonerò presto per invitarvi a cena.»

«Verremo volentieri.»

I ragazzi erano seduti a un tavolo a commentare a bassa voce gli avvenimenti della serata, ma per il resto la casa era silenziosa. Jane li raggiunse e, guardandomi intorno, io scoprii che Noah si era allontanato senza farsi notare.

Era stato stranamente silenzioso per tutta la sera e pensai che fosse uscito sul portico posteriore per godersi un momento di solitudine. Lo avevo visto lì prima e, francamente, ero un po' in ansia per lui. Era stata una giornata faticosa e, vista l'ora tarda, volevo chiedergli se desiderava tornare a Creekside. Ma quando uscii sul portico non lo trovai.

Stavo per salire a dare un'occhiata nelle camere, quando scorsi una figura solitaria in piedi in riva al fiume. Non so ancora come feci ad accorgermi di lui, forse notai il movimento delle sue mani. Con lo smoking nero si confondeva nell'oscurità.

Fui sul punto di chiamarlo, ma poi mi trattenni. Per qualche motivo, intuivo che non voleva far sapere a nessuno che era lì. Tuttavia, la curiosità mi spinse a scendere i gradini per andargli incontro.

Le stelle brillavano nitide sopra la mia testa e l'aria fresca odorava di terra umida. Le mie scarpe scricchiolarono sulla ghiaia, e quando arrivai sull'erba il terreno cominciò a digradare, dapprima leggermente, poi in modo sempre più ripido. Faticavo a tenermi in equilibrio e dovevo scostarmi dal viso i rami della fitta vegetazione. Mi chiedevo perché Noah fosse passato di lì.

Stava davanti a me, dandomi le spalle e bisbigliava nel buio. La morbida cadenza della sua voce era inconfondibile. Inizialmente pensai che stesse parlando con me, ma poi mi resi conto che non si era nemmeno accorto del mio arrivo.

«Noah?» lo chiamai piano.

Si voltò sorpreso e mi fissò. Impiegò qualche istante a riconoscermi, ma a poco a poco la sua espressione si rilassò. Ebbi la sensazione di averlo scoperto a fare qualcosa di sbagliato.

«Non ti ho sentito arrivare. Che ci fai quaggiù?»

Ero perplesso. «Stavo per farti la stessa domanda.»

Invece di rispondermi, indicò verso la casa. «Bella festa, davvero. Hai superato te stesso, stasera. Jane non ha smesso un attimo di sorridere.»

«Grazie.» Esitai. «Ti sei divertito?»

«Tantissimo», rispose.

Per un attimo restammo entrambi in silenzio.

«Ti senti bene?» gli chiesi infine.

«Potrebbe andare meglio», disse, «ma anche peggio.»

«Sicuro?»

«Sì, sicurissimo.»

Poi, forse per rispondere alla mia espressione interrogativa, aggiunse: «È una nottata così bella. Ho pensato di godermela un po' in pace».

«Qui?»

Annuì.

«Perché?»

Avrei dovuto indovinare il motivo che l'aveva portato a rischiare quella discesa fino al fiume, ma in quel momento non ci pensai.

«Sapevo che non mi aveva lasciato», disse soltanto. «E volevo parlarle.»

«A chi?»

Noah sembrò non udire la mia domanda. Fece un cenno verso il fiume. «Credo che sia venuta per il matrimonio.»

A quel punto compresi di colpo quello che stava dicendo e guardai il fiume, senza tuttavia scorgere assolutamente nulla. Scoraggiato e sopraffatto da un improvviso senso di impotenza, mi chiesi se i medici non avessero ragione. Forse mio suocero soffriva davvero di allucinazioni, oppure le emozioni della serata erano state troppo intense per lui. Avevo già aperto la bocca per convincerlo a rientrare in casa, quando le parole mi morirono in gola.

Nell'acqua increspata alle sue spalle, illuminata dal chiaro di luna, la vidi nuotare verso di noi come un'apparizione scaturita dal nulla. In quel paesaggio naturale era maestosa: il suo piumaggio brillava come se fosse d'argento e io chiusi gli occhi, nella speranza di scacciare quell'immagine dalla mia mente. Ma quando li riaprii il cigno nuotava lentamente in cerchio davanti a noi, e allora sorrisi. Era Noah ad avere ragione. Pur non sapendo né perché né come fosse arrivata lì, non nutrivo il minimo dubbio che si trattasse proprio di lei. Avevo visto quel cigno centinaia di volte e, anche da lontano, riuscivo a scorgere la piccola macchia nera sul suo petto proprio all'altezza del cuore.

Epilogo

$\mathcal{M}$entre sono in piedi sulla terrazza in pieno autunno, corroborato dall'aria frizzante della sera, ripenso alla festa del nostro matrimonio. La ricordo ancora in ogni dettaglio, esattamente come rammento tutto ciò che era accaduto nell'anno trascorso dall'anniversario dimenticato.

È strano pensare che ormai sia tutto alle mie spalle. I preparativi avevano dominato i miei pensieri così a lungo, e avevo immaginato la scena così spesso, che a volte mi sembra di aver perso di vista un caro amico, qualcuno che mi era diventato molto familiare. Eppure, sulla scia di quei ricordi, mi rendo conto di aver trovato la risposta agli interrogativi che mi ero posto la prima volta qui fuori.

Sì, ora lo so, un uomo può cambiare veramente.

Gli avvenimenti dell'ultimo anno mi hanno insegnato molte cose su me stesso e anche qualche verità universale. Per esempio, ho imparato che, mentre è molto facile ferire coloro che amiamo, è ben più complicato curare le ferite. Tuttavia, quel processo di guarigione è stato l'esperienza più ricca della mia vita, grazie alla quale ho capito che, se ho avuto spesso la tendenza a sopravvalutare ciò che ero in grado di fare in un giorno, avevo anche sottovalutato quello che potevo realizzare in un anno. Ma soprattutto ho capito che due persone possono innamorarsi daccapo, persino quando sono divise da una vita intera di delusioni.

Non so ancora bene che cosa pensare del cigno, e devo ammettere che mi risulta tuttora difficile essere romantico. È una lotta quotidiana per reinventarmi, e una parte di me si domanda se sarà sempre così. Ma che importa? Mi aggrappo saldamente alle lezioni insegnatemi da Noah sull'amore e su come mantenerlo vivo, e anche se non diventerò mai un vero romantico come lui, non significa per questo che smetterò di provarci.

L'autore

Nicholas Sparks è nato in Nebraska nel 1965 e ha studiato alla University of Notre Dame. Ha scritto numerosi bestseller tradotti in più di quaranta lingue. Dai suoi romanzi sono stati tratti film celebri come *Le parole che non ti ho detto*, con Kevin Costner, *I passi dell'amore*, *Le pagine della nostra vita* e *Come un uragano*. Con il fratello Micah ha pubblicato anche un racconto autobiografico, *Tre settimane, un mondo*. Vive con la moglie e i cinque figli nel North Carolina.

Visita il sito creato da Sparks per i suoi numerosissimi fan italiani www.nicholassparks.it

I libri di Nicholas Sparks

Le pagine della nostra vita
La vita di Noah potrebbe essere perfetta. Gli manca però Allie, una ragazza amata molti anni prima e mai dimenticata. Un giorno lei ricompare per vederlo l'ultima volta prima di sposarsi.

Le parole che non ti ho detto
Theresa trova sulla spiaggia una bottiglia contenente una lettera. Le strazianti parole del messaggio spingono la donna a cercare il suo autore. Tra loro sboccerà una travolgente passione, ma...

Il bambino che imparò a colorare il buio (con Billy Mills)
Dopo la morte della madre e della sorella, il piccolo David può contare solo sull'aiuto del padre per ritrovare un po' di pace. L'uomo gli farà un regalo che rivelerà al bambino la conoscenza.

I passi dell'amore
Quando Landon viene lasciato dalla fidanzata, ripiega su Jamie, riservata figlia del pastore. Non sono proprio la coppia dell'anno, eppure il tempo ha in serbo per loro una straordinaria sorpresa.

Un cuore in silenzio
Taylor, vigile del fuoco, affronta coraggiosamente il pericolo per salvare una vita. Ma quando incontra Denise deve vincere antiche paure che gli impediscono di lasciarsi andare al sentimento.

Un segreto nel cuore
Miles, che ha perduto l'amata moglie, ha un figlio con molti problemi. A riconoscerne il disagio è Sarah, la sua maestra. Tra i due nasce qualcosa che va oltre il comune affetto per il bambino.

Come un uragano
Adrienne è considerata una signora tranquilla e prevedibile. Ma quando la figlia Amanda, rimasta vedova, cade in una profonda depressione, lei decide di rivelarle un segreto a lungo taciuto.

Quando ho aperto gli occhi
Sono passati quattro anni da quando ha perso il marito, e il gelo nell'anima di Julie si sta sciogliendo. Adesso è pronta a credere possibile una nuova felicità, ma chi vorrà al suo fianco?

Il posto che cercavo
A Boone Creek vengono avvistate misteriose luci notturne. A indagare arriva in città lo scettico Jeremy Marsh. Sulle prime tra lui e Lexie, direttrice della biblioteca, sorgono degli attriti, ma poi...

Tre settimane, un mondo (con Micah Sparks)
In una giornata di normale frenesia Nicholas Sparks riceve un dépliant turistico. Suo fratello Micah lo convince a intraprendere un viaggio che si trasforma in un percorso nella loro infanzia.

Ogni giorno della mia vita
Jeremy era certo che non avrebbe mai lasciato New York, non si sarebbe risposato né avrebbe avuto figli. Invece sta cercando casa con Lexie, che aspetta una bimba. Ma lei gli nasconde qualcosa...

Ricordati di guardare la luna
«Ovunque sarai e qualunque cosa stia accadendo nella tua vita, tutte le volte che ci sarà la luna piena tu cercala nel cielo...» Così scriveva Savannah a John quando a dividerli era solo l'oceano.

La scelta
Travis è un giovane veterinario refrattario alle lunghe relazioni. Ma quando incontra Gabby, dopo un inizio burrascoso i due si innamorano perdutamente. Finché accade l'irreparabile...

Ho cercato il tuo nome
Logan Thibault ha trovato la fotografia di una giovane donna nella sabbia del deserto e decide di rintracciarla. Lui ed Elizabeth saranno coinvolti in un'appassionante storia d'amore.

L'ultima canzone
Ronnie, adolescente newyorkese, si trova a passare le vacanze con il padre in North Carolina. È convinta che quella sarà la peggiore estate della sua vita, finché conosce Will...

Superbestseller

S. King, *Christine - La macchina infernale*

D. Steel, *Il cerchio della vita*

S. Casati Modignani, *Lo splendore della vita*

M. Higgins Clark, *Le piace la musica, le piace ballare*

S. Sheldon, *E le stelle brillano ancora*

D. Steel, *Il caleidoscopio*

D. Steel, *Zoya*

S. King, *Scheletri*

S. King, *La metà oscura*

D. Steel, *Daddy - Babbo*

M. Higgins Clark, *La Sindrome di Anastasia*

S. Casati Modignani, *Il Cigno Nero*

D. Steel, *Messaggio dal Vietnam*

M. Higgins Clark, *In giro per la città*

S. Casati Modignani, *Come vento selvaggio*

S. King, *Quattro dopo mezzanotte* (Volume primo)

D. Steel, *Batte il cuore*

S. King, *Quattro dopo mezzanotte* (Volume secondo)

D. Steel, *Nessun amore più grande*

M. Higgins Clark, *Un giorno ti vedrò*

S. King, *Cose preziose*

D. Steel, *Gioielli*

G. Pansa, *Ma l'amore no*

S. Sheldon, *Nulla è per sempre*

S. King, *Il gioco di Gerald*

D. Steel, *Star*

M. Higgins Clark, *Ricordatevi di me*

S. King, *Il Miglio Verde*

D. Steel, *Le sorprese del destino*

M. Higgins Clark, *Domani vincerò*

S. King, *Dolores Claiborne*

S. Sheldon, *Giorno & notte*

D. Steel, *Scomparso*

G. Pansa, *Siamo stati così felici*

S. Casati Modignani, *Il Corsaro e la rosa*

M. Higgins Clark, *Un colpo al cuore*

D. Steel, *Il regalo*

N. Sparks, *Le pagine della nostra vita*

S. King, *Incubi & deliri*

D. Steel, *Scontro fatale*

M. Higgins Clark, *Bella al chiaro di luna*

S. Casati Modignani, *Caterina a modo suo*

D. Steel, *Cielo aperto*

G. Pansa, *I nostri giorni proibiti*

D. Steel, *Fulmini*

R. Bachman (S. King), *L'occhio del male*

M. Higgins Clark, *Una notte, all'improvviso*

M. Higgins Clark, *Testimone allo specchio*

D. Steel, *La promessa*

D. Steel, *Cinque giorni a Parigi*

G. Pansa, *La bambina dalle mani sporche*

S. Sheldon, *Una donna non dimentica*

S. Casati Modignani, *Lezione di tango*

S. King, *Desperation*

R. Bachman (S. King), *I vendicatori*

S. King, *Riding the bullet - Passaggio per il nulla* (Libro + CD)

D. Steel, *Perfidia*

S. King, *Mucchio d'ossa*

D. Steel, *Silenzio e onore*

M. Higgins Clark, *Sarai solo mia*

S. Sheldon, *Dietro lo specchio*

D. Steel, *Il ranch*

G. Pansa, *Ti condurrò fuori dalla notte*

D. Steel, *La lunga strada verso casa*

D. Steel, *Il fantasma*

M. Higgins Clark, *Ci incontreremo ancora*

S. King, *Insomnia*

N. Sparks, *Le parole che non ti ho detto*

G. Pansa, *Il bambino che guardava le donne*

S. Casati Modignani, *Vaniglia e cioccolato*

S. King, *Rose Madder*

D. Steel, *Un dono speciale*

R. Bachman (S. King), *L'uomo in fuga*

M. Higgins Clark, *Accadde tutto in una notte*

D. Steel, *Dolceamaro*

R. Bachman (S. King), *La lunga marcia*

S. King, *La bambina che amava Tom Gordon*

S. Sheldon, *L'amore non si arrende*

S. King, *Cuori in Atlantide*

N. Sparks, *Un cuore in silenzio*

M. Higgins Clark, *Prima di dirti addio*

D. Steel, *Immagine allo specchio*

M. Higgins Clark e C. Higgins Clark, *L'appuntamento mancato*

D. Steel, *Forze irresistibili*

S. King e P. Straub, *La casa del buio*

D. Steel, *Le nozze*

M. Higgins Clark, *Sapevo tutto di lei*

S. King, *L'acchiappasogni*

S. Casati Modignani, *Vicolo della Duchesca*

D. Steel, *Aquila solitaria*

M. Higgins Clark, *Dove sono i bambini?*

D. Steel, *Granny Dan - La ballerina dello zar*

S. Casati Modignani, *6 aprile '96*

N. Sparks, *I passi dell'amore*

D. Steel, *La casa di Hope Street*

D. Steel, *Un uomo quasi perfetto*

M. Higgins Clark e C. Higgins Clark, *Ti ho guardato dormire*

S. King, *Tutto è fatidico*

D. Steel, *Atto di fede*

M. Higgins Clark, *La seconda volta*

S. Sheldon, *Hai paura del buio?*

D. Steel, *Brilla una stella*

N. Sparks, *Come un uragano*

M. Higgins Clark, *Una luce nella notte*

S. King, *Buick 8*

D. Steel, *Il bacio*

N. Sparks, *Un segreto nel cuore*

D. Steel, *Il cottage*

S. Casati Modignani, *Qualcosa di buono*

M. Higgins Clark, *Quattro volte domenica*

D. Steel, *Una preghiera esaudita*

B. Mills, N. Sparks, *Il bambino che imparò a colorare il buio*

S. Sheldon, *Una stella continua a brillare*

N. Sparks, *Quando ho aperto gli occhi*

S. King, *Torno a prenderti*

D. Steel, *Tramonto a Saint-Tropez*

M. Higgins Clark, *La notte mi appartiene*

S. King, *La storia di Lisey*

M. Higgins Clark, *La figlia prediletta*

N. Gardner, *Un amico come Henry*

M. Higgins Clark, *Dimmi dove sei*

N. Sparks, *Come la prima volta*

D. Steel, *Un angelo che torna*

S. Casati Modignani, *Rosso corallo*

S. Sottile, *Più scuro di mezzanotte*

E. Segal, *Love Story*

S. Foster, *A spasso con Ollie*

M. Higgins Clark, *Due bambine in blu*

A. Thomas, *Sempre con me*

M. Higgins Clark, *Ho già sentito questa canzone*

N. Sparks, *Il posto che cercavo*

J. Fletcher & D. Bain, *La Signora in Giallo - Assassinio nel vigneto*

J. Fletcher & D. Bain, *La Signora in Giallo - Caffè, tè e il delitto è servito*

J. Fletcher & D. Bain, *La Signora in Giallo - Long drink con delitto*

R.J. Waller, *I ponti di Madison County*

J. Fletcher & D. Bain, *La Signora in Giallo - Omicidio in primo piano*

J. Fletcher & D. Bain, *La Signora in Giallo - Brandy & pallottole*

J. Fletcher & D. Bain, *La Signora in Giallo - Manhattan & omicidi*

A. Caprarica, *Dio ci salvi dagli inglesi... o no?!*

L. Dalby, *La mia vita da geisha*

J.P. Sasson, *Schiave*

J.P. Sasson, *Dietro il velo*

B. Mahmoody con W. Hoffer, *Mai senza mia figlia*

Finito di stampare nel gennaio 2011
presso la Mondadori Printing S.p.A.
Stabilimento N.S.M. di Cles (TN)
Printed in Italy